はじめての ニュース・リテラシー

白戸圭一 Shirato Keiichi

★――ちくまプリマー新書

371

目次 ＊ Contents

はじめに

今の時代ほど、人間が情報に振り回され、情報が人の心を蝕んでいる時代はないように思う。

私が大学に入学したのは一九八九年だった。そのころ、一人の市民が世の中に向かって情報発信するのは大変なことだった。例えば、何かイベントを企画しても、当時の情報発信の方法は、極論すれば紙のチラシを自力で製作し、大量に印刷して配る以外になかった。新聞社やテレビ局にイベントの告知を頼んでも、取り合ってもらえることの方が少なかった。国の政治や何らかの事件について思うことがあっても、自分の意見を世の中に向けて表明できる手段は限られていた。街角でマイクを握るかチラシを配る以外に、不特定多数の人々に向けて情報発信する方法は事実上存在しなかったのである。

しかし、その後、一九九〇年代後半にはインターネット、二〇〇〇年代に入るとインターネットを基盤にしたソーシャルメディアが急速に普及していった。新聞社や放送局といったマスメディアが情報発信の機会を事実上独占していた状態は瞬く間に過去のものとなり、ブログ、ツイッター、フェイスブックなどを使って誰もが好きなように情報を発信し、拡散させることが可能になった。私たちはスマートフォンを指先で操作するだけで、かつてはマスメディア経由でしか知ることのできなかった外国の様々な出来事を、いとも簡単に知ることができるようになった。この本を執筆している二〇二〇年末の時点で、世界はコロナ禍にあり、感染防止のための入国制限によって人の往来はズタズタに寸断されているが、情報はこの瞬間も国境を越え続けている。

ところが、ソーシャルメディアが社会の情報基盤となり、誰もがスマホ片手に好きな情報を発信・拡散できるようになると、私たちはこれまで経験したことのない事態に直面することになった。天文学的な数のデマ、勘違い、思い込み、陰謀論、偽情報（フェイクニュース）、誹謗中傷（ひぼうちゅうしょう）や罵詈雑言（ばりぞうごん）がネット空間に溢（あふ）れ、社会を蝕み始めたのである。

スマホのタイムラインに次々と流れては消える無数の情報の中から、何が真実かつ重要な情報で、何が虚偽または不正確な情報かを判別することは簡単ではない。その結果、今の時代は、少なからぬ人々が間違った情報を「真実」と信じて疑わず、誤った情報がしばしば世論形成の土台になり、時には誰かを非難する材料に使われ、国の政治に影響を及ぼすようになっている。

筆者は二〇一八年四月から大学で働くようになり、少なからぬ大学生が、何が正しい情報なのかを見極める術を知らぬまま、ネット上の誤った情報に振り回されている姿を目の当たりにすることになった。情報発信のテクノロジーが猛烈な勢いで進化しているにもかかわらず、日本では高校を卒業するまでの間に、情報との付き合い方について学ぶ機会がほとんどない。日本の学校における情報教育とは、多くの場合、「エクセルを使った計算の仕方」「パワーポイントを使ったプレゼン資料の作り方」といった技術の習得を目的にしており、何が事実かを見極める力を伸ばす授業として設計されてはいない。私自身の歩みを振り返っても、大学院の修士課程を終えて新聞記者として働くようになるまで、「事実とは何か」「真実とは何か」「どうすれば、誤った情報に振り回されずに済むか」といった問題について、真剣に向き合った機会はほとんどなかったように思う。

この本は、我々が「情報」とどのように付き合っていけばよいかについて、なるべく平易な言葉を使って考察した入門書である。私が大学で教えている「国際ジャーナリズム論」と「Media and Society」という授業の内容を下敷きにしており、高校生から大学一年生くらいの読者を念頭に執筆した。やがて社会に出て活躍する若い方々のお役に立つのならば、これほど嬉(うれ)しいことはない。

第一章　誰もが情報発信する時代

一三〇年前の流言

コレラという感染症がある。コレラ菌で汚染された水や食物を摂取すると、重症の場合は激しい下痢（げり）に苦しみ、適切な治療を受けないと脱水症状で死に至る。世界保健機関（WHO）が二〇一九年一月に公開したファクトシートによると、世界では毎年一三〇万〜四〇〇万人が感染し、二万一〇〇〇〜一四万三〇〇〇人が死亡していると推定されている。渡航先の発展途上国で罹患（りかん）する日本人はいるが、衛生状態の良好な現代日本では、国内で感染が広がることはほぼなくなっている。

しかし、昔は違った。江戸時代後期の一八二二年に長崎から始まった流行で推計十数万人が死亡したのを皮切りに、コレラは江戸時代から明治時代にかけて日本国内で何度か流行を繰り返し、多数の日本人が犠牲になった。今から一三〇年前の一八九〇年（明治二三年）の流行では、およそ三万五〇〇〇人が死亡した。

この一八九〇年の大流行時に何が起こったか。現代日本のスポーツ新聞の一つ『スポーツ報知』の前身である『郵便報知』の一八九〇年二月三日の紙面には、次のような街の声を伝える一文がある。

「電話は非常に鋭敏にして能(よ)く音声を伝ふるものなるが、もし加入者に虎列刺(コレラ)病等ありし場合には其(その)病毒を各加盟者に伝ふることなきや」

「電話というものは非常に明確に音声を伝えるものだけども、もし電話を使っている人の中にコレラに感染した人がいた場合には、電話を使っている他の人が感染することはないのだろうか」という意味だ。

一八七六年に米国で発明された電話は、その翌年に日本に導入され、しばらくの間は宮中や官庁などでのみ使われた。だが、一八八九年に東京と熱海(あたみ)の間で公衆電話の通話実験が行われ、翌一八九〇年一二月に東京と横浜の間で電話交換サービスが始まった。

この一八九〇年は前年に公布された大日本帝国憲法が施行された年でもあり、明治維新から二〇年以上が経過した日本は、近代国家としての体裁を整えつつあった。そんな中、東京・横浜間の電話交換サービスの開始前後に広がったのが「電話を通じてコレラがうつる」という噂(うわさ)であった。

当時の電話サービスは料金が非常に高額であったため一部の富裕層にしか普及せず、最初の加入者は一九七世帯に過ぎなかったという。そこで、政府が東京の株式取引所(現在の証券取引所)や米商会所(米の取引をする場所)など大勢の人が集まる場所に電話を設置してサービスの宣伝を始めたところ、参観者の間から「電話機からコレラが感染拡大したらどうするのか」という声が上がったという記録も残っている。

コレラの原因であるコレラ菌そのものは一八五四年にイタリアの医師によって発見されていたが、「近代細菌学の開祖」といわれるドイツ人の医師ロベルト・コッホによって病気の原因であることが確認されたのは一八八四年七月であり、この大流行のわずか五年前のことだった。「細菌が病気を引き起こす」という科学的知見が当時の日本の庶民の間に定着していたはずもなく、人々は迷信や言い伝えを信じていた。

一方、遠く離れた人に音声を伝えることができる電話という「文明の利器」の登場が、当時の人々に大変な驚きを与えたことも容易に想像できる。人類が地上に姿を現して以来、遠く離れた人に自分の意思を伝えるには、相手のところに直接出向くか手紙を書く以外に方法はなかった。それが電話の発明によって、遠く離れた相手と会話できるようになったのである。当時の人々の驚きは、現代の私たちが人工知能（AI）を目の前にした時の驚きよりも大きかったのかもしれない。

「電話でコレラがうつる」。それは、当時の庶民の知識では原因を想像できない病気に対する恐怖と、新技術が人々に与えた衝撃とが結び付いて生まれた流言であった。

新型コロナ感染拡大とインフォデミック

それから一三〇年。「電話でコレラがうつる」という流言に右往左往した明治時代の人々を、現代を生きる私たちは一笑に付すことができるだろうか。

新型コロナウイルスの感染が世界に広がり始めた二〇二〇年四月、「5G（第五世代通信ネットワーク）の電波によって新型コロナの感染が拡大する」「免疫力が弱くなる」といった書き込みがSNS（ソーシャル・ネットワーキング・サービス）上で拡散し、過剰反応した人々が5Gの基地局を破壊する事件が欧州各地で相次いだ。世界保健機関（WHO）がウェブサイトで、5Gが新型コロナウイルスを拡散するとのデマを否定せざるを得なくなったことからも、事態の深刻さがうかがえた。その後、南米のペルーやボリビアからも同様の事件が相次いでいるとの報道があった。

新型コロナウイルスを巡る科学的根拠のない情報の拡散は、海外だけで見られる現象ではない。横浜港に停泊中のクルーズ船内で新型コロナの感染者が相次いで確認され、日本国内での感染例が増え始めた二〇二〇年二〜三月にかけて、日本語のツイッター空間には次のような情報が溢れていた。

・二六〜二七度のお湯を飲めば新型コロナウイルスは死滅する
・納豆は新型コロナの予防に効果がある
・トイレットペーパーが品薄になる

一般にウイルスや細菌は熱に弱いので、多くのウイルスは煮沸すれば不活性化する。しかし、それはあくまでも一〇〇度で煮沸した場合のことであり、二六〜二七度と言えば、人間の体温よりもずっと低い温度だ。そんなぬるま湯ではウイルスは死滅しないことくらい常識で判断できそうにも思えるが、ＳＮＳを通じて情報があまりに広く拡散したため、ＷＨＯは公式ウェブサイトで「あなた自身を日光や二五度以上の温度にさらしても、あなたをコロナウイルスから守ることはできません」と、誤情報に惑わされないよう注意喚起せざるを得なくなった。

納豆の予防効果はどうか。納豆が栄養価の高い食物であることは疑いないが、免疫力を上げるにはバランスよく食べ、適度に運動し、十分に睡眠をとり、ストレスの少ない生活を送る以外にないことは専門家によって繰り返し強調されてきた。だが、「納豆による予防効果」の話が広まると、全国のスーパーマーケットで納豆が飛ぶように売れ、冷蔵食品棚から納豆が一時的に消える事態となった。東京都内の私の自宅近くのスーパーではしばらくの間、「お一人様一パックまで」の張り紙が張られていたのを覚えている。

そして、トイレットペーパー騒動である。全国のスーパーやドラッグストアからトイレットペーパーが消えたことについては、大半の読者が記憶しているだろう。

騒動の経過を分析したＮＨＫ放送文化研究所の報告書「新型コロナウイルス感染拡大

と流言・トイレットペーパー買いだめ」によると、二月ごろからツイッターを中心に「マスクとトイレットペーパーの原材料が同じなので、マスクの増産に伴ってトイレットペーパーが不足する」「中国でトイレットペーパーの生産が停止し、日本で不足が始まる」「トイレットペーパーの原材料が中国から輸入できなくなり、日本国内で生産できなくなる」といった流言が拡散し始めた。全国の一部の地域で消費者による買いだめが始まり、その様子をテレビが伝えたことによって二月二八日以降、買いだめが加速する悪循環が発生した。

報告書によると、多くの人は「トイレットペーパーがなくなる」という流言を信じてはおらず、ツイッター上で拡散する情報をデマとして受け止めていた。しかし、「他人は流言を信じてトイレットペーパーを買いだめしており、このままではトイレットペーパーが手に入らなくなってしまう」と考える人が多く、結果的に買いだめに走る人が急増した。ツイッター上で「トイレットペーパー生産の中国依存度は低い」などと冷静になるよう呼び掛ける人もいたが、現実に店頭からトイレットペーパーが消え始めると、品不足への不安が高まり、買いだめは止まらなくなったのである。

「お湯でウイルスが死滅」「納豆」「トイレットペーパー」。三つの流言を事例として挙げてみたが、新型コロナを巡る流言の類いは、当然ながらこの三つだけではない。ネット空間には正確な総数を把握できないほど膨大な数の誤情報やデマが飛び交っており、毎日のように人々の不安をあおる情報、医学的根拠のない対処法、信頼性の極めて低い陰謀論などが流れているのは周知の通りである。

作家の真鍋厚氏は二〇二〇年二月一八日の『東洋経済オンライン』の記事で、新型コロナの流行初期にSNS上に広まっていた誤情報やデマを次の四つに分類している。

（一）感染者、感染経路に関する誤情報やデマ
（二）致死率、重症度に関する誤情報やデマ
（三）予防法、治療法に関する誤情報やデマ
（四）生物兵器説などの陰謀論

読者の中にも、特定の地域や飲食店の名前などを挙げて「感染者が出た」などという誤情報を見聞したことのある人はいるだろう。これは（一）のタイプのデマだ。

（二）の致死率や重症度に関するデマでは、二月の段階では一五％などという情報も広

がっていた。日本国内の致死率は、本書執筆時点の二〇二〇年一〇月時点で二％より少し低い程度である。致死率が本当に一五％にも達するのならば、対策の仕方は大きく変わらざるを得なかっただろう。

（三）の予防法と治療法に関する誤情報は多種多様である。先ほど「お湯」と「納豆」を例に挙げたが、「コロナ予防に効く」としてSNS上で取り上げられた食品は、紅茶、緑茶、ニンニク、ショウガ、唐辛子、ワインビネガー、ゴマ油――と枚挙にいとまがない。食物以外では「殺菌作用のある紫外線を発する花崗岩を持つとコロナウイルスは死滅する」という流言もある。（四）の陰謀論については、第五章「「陰謀論」と「不誠実な報道」」で詳しく取り上げたい。

流言やデマが世界規模で拡散している状態について、WHOは「インフォデミック」と呼んで全世界に向けて注意喚起している。「インフォデミック」とは「インフォメーション（情報）」と「感染症の大流行（パンデミック）」の合成語であり、流言やデマが爆発的に拡散している状態を指す。本来ならば感染症流行地域への支援や予防注射の普及などを主任務とするWHOが、情報との付き合い方について人々に注意喚起しなければばならないほど、新型コロナウイルスを巡る誤情報やデマの拡散は深刻な問題になっているのだ。

SNSが変えた情報の流れ

一三〇年前にコレラが流行した当時、交換手を通さなければ通話できなかった電話は、今や世界中を音と映像で結ぶスマートフォンに進化した。電子顕微鏡の存在しなかった一三〇年前にはウイルスの存在を知らなかった人類は現在、感染拡大から間をおかずに新型コロナウイルスを特定し、猛スピードでワクチンや治療薬の開発を進めている。科学技術に関する人類の知見が飛躍的に増大したことは言うまでもない。

しかし、「情報」の取り扱いという点ではどうだろう。残念ながら人類は「電話でコレラがうつる」との流言に怯(おび)えていた時代と同じように、一三〇年経(た)った今もデマに踊らされ、誤情報を真実と思い込み、しばしばパニックを引き起こしている。それどころか、インターネットを通じて天文学的な数の情報が流通し、SNSによって誰もが気軽に情報発信できる環境が整備されたことによって、デマに踊らされるリスクが高まっているように見える。

インターネット関連の統計等を集約しているウェブサイトDataReportalによると、二〇二〇年四月時点の世界のSNS利用者数は約三八億人と推計される。また、情報通信に関する調査を専門とする民間企業ICT総研の調査によると、二〇一八年末の日本国内のSNS利用数は約七五二三万人と推計される。

こうした膨大な数に上るSNS利用者のうち、どれくらいの人がSNSを使って新型コロナ関連の情報を収集したり、発信したりしているのか。日本の状況については、緊急事態宣言が発令されていた二〇二〇年四月九日に野村総合研究所が発表した「新型コロナウイルス感染拡大下の日本人の情報収集行動」という調査結果がある。およそ三〇〇〇人を対象としたこの調査では、「新型コロナウイルス感染拡大について最新の情報をいち早く知る手段」として、約二二%が「ツイッター」と回答した。年代別でみると、一〇代の五〇%、二〇代の三八%がツイッターから情報を得ていると回答していた。

一方、米国の状況については、世論調査機関として名高いワシントンDCのピューリサーチセンターが二〇二〇年三月三一日に公表した世論調査結果がある。新型コロナに関連した情報をソーシャルメディアで投稿・拡散している一八歳以上の米国民は三七％で、年代別では一八〜二九歳で四四％、三〇〜四九歳で四一％に上った。感染対策として導入された外出制限によって他者との交流の機会が断たれる状況下で、ＳＮＳが情報共有や意見交換の重要な手段になっている実態がうかがえる。

私は大学で国際政治とメディアの関係、民主主義の発展に果たすジャーナリズムの役割などについて講義しているが、学生に話をしながら、市民と情報の関係に焦点を当てた教育を再設計する必要性を痛感している。その最大の理由は、ＳＮＳの急速な普及に伴い、市民と情報の関係が変化したことによる。

市民がマスメディアから情報を一方的に得ていた時代の授業は、極論すれば「マスメディアが報じる様々な情報の虚実を鑑別し、あなた自身がだまされないようにすること」を目指していた。市民が政治権力によるプロパガンダや世論誘導の「被害者」にならないことが授業の大きな目的であった。

「だまされないように気を付けること」の重要性は今も変わらないが、近年のＳＮＳの普及に伴い、これに新たな目的を加える必要が生じたと感じている。「あなたが虚実の判然としない情報を深い思慮もなく発信して他人をだましたり、傷つけたり、社会を混乱させないこと」の重要性が決定的に高まっているのである。

先述したトイレットペーパーを巡る誤情報の発信と拡散は、市民が何気なく発信したツイッター上のつぶやきがパニックを誘発した事例の典型だろう。そして極端な場合には、一般市民が情報を武器に他人を傷つける「加害者」と化すこともある。次に見る「あおり運転」を巡る事件の顚末(てんまつ)は、その典型というほかない。

ある朝、目覚めたら「犯人」に

その事件が起きたのは二〇一九年八月一〇日のことだった。茨城県内を走る常磐(じょうばん)自動車道で、当時四三歳の男が「あおり運転」をして会社員の男性の車を本線上に無理やり停車させ、男性を殴ってけがをさせた。被害者男性の車にはドライブレコーダーが取り付けてあり、あおり運転と暴行の一部始終が録画されていた。

事件はドライブレコーダーに記録された映像がテレビで放送されたことによって世に知られ、男の車に酷似した白い外車が危険なあおり運転を各地で繰り返していたとの情報が警察に寄せられた。茨城県警は男を割り出し、事件から八日後の八月一八日、強要・傷害容疑で男を逮捕した。結局、男は他のあおり運転を含む計三つの事件で起訴され、水戸地方裁判所は二〇年一〇月二日、懲役二年六カ月（執行猶予四年）の有罪判決を言い渡した。この事件は、危険なあおり運転に対する罰則強化のきっかけの一つになったために、「常磐自動車道あおり運転事件」などとして広く知られている。

だが、事件の影響は、道路交通法改正にとどまらなかった。

暴行の一部始終を撮影したドライブレコーダーの映像には、暴行を働く男とともに、男の車に同乗していた交際相手の女が折り畳み式の携帯電話（ガラケー）で暴行の様子を撮影する様子が映っていた。高速道路で蛇行しながら「あおり運転」を続けた挙句、被害者の車の前に回り込んで急停車。車を降りると怒鳴りながら被害者の車に詰め寄り、開いた窓から被害者の男性を殴る。同乗の女は男と一緒に車を降り、ガラケーで暴行の一部始終を撮影――。恋人である男の暴力を止めもせず、笑いながらガラケーを構えている女の異様な行動がテレビで放送されると、男の粗暴ぶりだけでなく同乗していた「ガラケーの女」にも世間の注目が集まり、ネット上で「ガラケー女を特定して逮捕しろ」という声が盛り上がった。

ここから何が起こったか。以下、事件の一年後に報じた二〇二〇年八月一六日の『毎日新聞』の記事を見てみよう。

事件から一週間後の八月一七日の朝のことだった。東京都内で会社を経営している三〇代の女性が目を覚ますと、友人から「ネット上に情報がさらされている」という連絡があった。あるウェブサイトを見てみると、常磐道あおり運転の「ガラケー女」であるとして、自分の顔写真と実名が掲載されていた。経営していた会社のウェブサイトが画像としてネット空間に出回り、会社に電話とメールが殺到し、インスタグラムには「早く自首しろ」などと書き込みが相次いだ。

全く身に覚えのない事件の「犯人」に仕立て上げられた女性は、インスタグラムで人違いだということを発信したが、「そんなことを投稿する暇があるなら、早く警察に行け」とのコメントがつき、逆に炎上することになった。

女性は匿名でインスタグラムを利用していたが、フォロワーが約一万人もおり、逮捕された男との間に面識はないものの、男は女性のフォロワーの一人だった。このため、ネット空間で「ガラケー女」探しに躍起（やっき）になった人々の間で、男の交際相手であると一方的に断定されてしまった可能性があった。

また、ドライブレコーダーに映っていた「ガラケー女」が事件当時、サングラスをかけて帽子をかぶっていたことも、一方的に犯人扱いされる理由になった可能性があった。女性がフェイスブック上に公開していた自身の写真の中に、「ガラケー女」の事件当時の服装とよく似た帽子とサングラスを身に着けた写真があったのである。

市民が「冤罪」をつくる時代

警察が翌八月一八日に暴行した男と「ガラケー女」を逮捕したことにより、女性に対するSNS上の攻撃は急速に収束したが、二日間で不審な電話の着信は三〇〇件、インスタグラムに届いたダイレクトメッセージは一〇〇〇件を超えた。

被害に遭った女性は弁護士とともに記者会見し、悪質な誹謗中傷（ひぼうちゅうしょう）をSNS上に投稿した人々に対して損害賠償請求や刑事告訴などの法的措置を取る考えを明らかにした。フェイスブックに女性の顔写真を転載し、「早く逮捕されるよう拡散お願いします」などと投稿していた愛知県豊田市の市議会議員の男性（二〇一九年一一月に市議辞職）に対しては慰謝料を求める民事訴訟を起こし、東京地方裁判所は翌二〇二〇年八月、元市議の男性に三三万円の賠償を命じた。

　女性の代理人弁護士によると、インスタグラムに寄せられた一〇〇〇件を超える書き込みのうち、一〇〇件以上の書き込みについて投稿者の開示請求を裁判所に申し立てたほか、和解の申し出にも応じているという。

　全く身に覚えのない事件の「犯人」として扱われることを一般に「冤罪（えんざい）」という。冤罪は警察による捜査の過程で無実の人を犯人視するところから始まることが一般的であり、最悪の場合は逮捕を経て裁判で有罪宣告されることすらある。ＤＮＡ鑑定などの科学捜査が不在またはその水準が低かった時代の警察には、容疑者に暴力的に自白を強要した「自白重視」の傾向があり、日本では大事件から身の回りの微罪に至るまで数々の冤罪が発生してきた。

　本来であれば冤罪を防ぐ監視役として機能すべきマスメディアも、警察への独自取材で入手した捜査情報（リーク）を基に報道合戦を繰り広げ、しばしば無実の市民を「犯人」へと仕立て上げてきた。一九九四年六月に長野県松本市で発生した「松本サリン事件」は、警察とマスメディアが無実の一般市民を「容疑者」に仕立て上げた事件の典型である。六月二七日深夜から二八日未明にかけて、松本市内の住宅地に何者かが毒ガスを散布し、七人が死亡した（事件から一四年後に治療中だった負傷者がなくなり、最終的に死者は八人になった）。事件発生直後のマスメディアは長野県警の捜査員などからリークされた情報を基に、現場近くに住む会社員の男性を容疑者扱いする報道を続けた。最終的には新興宗教団体「オウム真理教」による犯行だったことが判明し、警察もメディア各社もこの男性に謝罪した。

このように、冤罪づくりの主役は長年にわたって警察とマスメディアであったが、先述した「常磐自動車道あおり運転事件」のケースは、こうした冤罪形成のプロセスに、一般市民が加わる新しい時代の到来を感じさせる。

もちろん、一般市民は事件を捜査するわけではなく、容疑者を逮捕して裁判にかける権限を有しているわけでもない。しかし、SNSを使った「犯人視」は「犯人」に仕立て上げられた人にとって、捜査当局によって作られる冤罪と同等か、それ以上の強烈な社会的制裁に感じられることすらあるだろう。何より恐ろしいのは、目覚めたら知らぬ間に「ガラケー女」に仕立て上げられていた女性のように、ある日突然誰もが、この新しいタイプの冤罪の被害者になる可能性があることだ。

加害者は「普通の人」たち

このように「ネット上の情報を見ただけで真実を知った気になり、正義感にかられて無実の人を犯人視してSNSに投稿するような人」は、おそらく「特別な人」ではない。誰もがインフォデミックによる冤罪の被害者になる可能性があるのと同じように、誰もがインフォデミックによる冤罪の加害者になる可能性があると、私は考えている。

「常磐自動車道あおり運転事件」で無関係の女性を「ガラケー女」と思い込み、SNSで女性を誹謗中傷したのはどのような人たちだったのか。事件の一週間後に「ガラケー女」が警察に逮捕されると、人違いされてネット空間で袋叩き(ふくろだた)きにされていた女性のインスタグラムやツイッターに一転して「デマを信じて暴言を吐きました」という釈明の言葉が届いたという。女性と代理人弁護士による記者会見の様子を伝えた『毎日新聞』の記事は次のように伝えている。

自ら名乗り出てきた人とは和解に応じているが、「普通の人が多かった」。未成年から年配者まで年齢層は幅広く、住んでいる地域も全国各地に及んだ。子どもに代わって平謝りする保護者、「家族に知られて肩身が狭い」と連絡してくる男性――。幼い子どもを持ち、普段は「良いママ」として暮らしていそうな人もいた。（『毎日新聞』二〇二〇年八月一六日）

インターネット空間では、マスメディアによって世間に広く顔を知られた著名人が殺人事件の実行犯であるなどとして、長期間にわたって誹謗中傷されて多大な精神的苦痛を受けた事例がある。お笑い芸人のスマイリーキクチ氏は、一九八八〜八九年にかけて東京都内で発生した通称「女子高校生コンクリート詰め殺人事件」の犯人であるとの事実無根のネット上の投稿に苦しめられ、デマの発信者を警察に告訴した経験がある。ネット空間で「死ね」などと暴言を発していた人々について、同氏は毎日新聞のインタビューに次のように話している。重要な論点を含んでいると思うので、少し長いが引用したい。

警察から聞いた話では、加害者はサラリーマン、主婦、国立大職員、プログラマー、高校生などでした。誰一人面識はないのに、僕を犯人で憎いという思いだけでネット上でつながっていた。摘発されたことで逆恨みもされたので、防衛のために警察から写真も見せてもらいました。すると、街中ですれ違っても全く分からないような、ごく普通の顔の人たちだったのです。顔と言葉が一致しなかった。「この人たちは、匿名になった瞬間にこんな言葉を書くのか」とショックでした。

また、加害者は、自分がやっていることは「正義」だと信じていたことも分かりました。僕を本気で犯人だと思っていて、むしろ自分たちは「デマに流され、つかまった被害者」だと思っていた。僕に謝罪は一切なく、逆に謝罪しろと言われました。（『毎日新聞』二〇二〇年五月二九日）

これらの証言に共通しているのは、インフォデミックに踊らされて他人を誹謗中傷していた加害者の大半は、異常な人格や極端に偏った性格の持ち主ではなく、どこにでもいる「普通の人」に見えるという点である。そして、この「普通の人」たちの多くは、それなりの仕事に就いていたり、子育てに忙しかったり、勉学に勤しんでいたりしながら真っ当な社会生活を送っているように思われる。

次に、人々がSNS上の情報について、どのように考えているかを示す興味深い調査結果を紹介したい。先ほど21ページで言及した野村総合研究所の「新型コロナウイルス感染拡大下の日本人の情報収集行動」である。

三〇〇〇人を対象としたこの調査では、回答者の七三%が過去に一度は「新型コロナウイルス感染拡大に関するフェイクニュースを見聞きした」と回答した。次いで、「フェイクニュースを見聞きした情報媒体」について質問（複数回答可）したところ、「Googleなどのインターネットの検索エンジン」が最多の三六%で、民放テレビ三四%、ツイッター三二%――と続いた。

さらに、「新型コロナウイルス感染拡大に関する情報手段の信頼度」について質問したところ、興味深い結果が出た。信頼度が最高だったのはＮＨＫテレビの七九％で、新聞の七八％、政府・企業・専門機関のウェブサイト七四％――と続いた。その反対に信頼度が低いものとして挙げられたのはインスタグラムとフェイスブックがともに一八％と最低で、ツイッターは二二％だった。この結果を受けて、野村総研は「ＳＮＳでの情報を信頼している人は二割しかいなかった」と結論している。

この調査はインターネットを使って実施されており、ＮＨＫや新聞といった「古いマスメディア」に依存している人だけを対象にした調査ではない。つまり、インターネットで情報を収集・発信している人であっても、非常に多くの人が「ＳＮＳ上に出回っている様々な情報には怪しいものが多い」と判断しているのである。どうやら世の中の多数派であると想定される「普通の人」の多くは、情報収集をＳＮＳに過剰依存することのリスクをそれなりに認識しているようなのだ。

情報の「出所」を見ない人々

ところが実際には、ＳＮＳ上で何らかの誤情報やデマが発信されると、それは短時間で拡散し、しばしばインフォデミックが発生している。多くの「普通の人」がSNS上の情報の信頼度に疑問を感じているにもかかわらず、なぜ、SNS経由の誤情報やデマを信じて他人を中傷したり、社会を混乱させるケースが後を絶たないのだろうか。

まず、残念なことに、世の中にはデマを故意に拡散する情報発信者が存在する。こうした人物がいなければインフォデミックの発生確率はそれなりに低下するかもしれないが、愉快犯を含め故意にデマを発信する人物がゼロになることはないだろう。

二〇一六年四月に二度にわたって震度七の揺れを観測した熊本地震の際、ツイッターに「動物園からライオンが放たれた」という投稿があり、被災地の人々を混乱させた事件があった。投稿には、ビル街を歩くライオンの写真が添えてあり、警察には市民からの通報が殺到し、大地震後の混乱に拍車がかかった。

投稿されていた写真は映画の撮影のために南アフリカで撮影されたものであり、よく見ると写真に写っている信号機の鉄柱が黄色だ。かつて南アフリカに住んでいた私は写真をひと目見て「デマ」と分かったが、地震後の混乱した状況下では、本当のニュースだと信じてしまった人がいてもやむを得ないだろう。

警察は、いたずらにしてはあまりに悪質だとして捜査し、神奈川県内の男（当時二〇歳）を偽計業務妨害容疑で逮捕した（後に起訴猶予）。警察の調べに対し、男は「悪ふざけ」「見た人をびっくりさせたかった」などと供述したと報道されている。このようにSNSを使って軽い気持ちでデマを発信する人は、これからも後を絶たないだろう。

そうなると、やはり多くの人が情報の虚実を鑑別するのに十分な能力、技術、思慮深さなどを備え、インターネット空間に溢れる情報の真偽を見極めることができるようにするしかない、ということになる。先ほど見た野村総研の調査結果では、多くの人がSNS上の情報に一定の懐疑の念を抱いていることが示されていた。フェイクニュースや誤情報を見抜ける賢明な市民が社会の多数を占めれば、悪意ある人物がフェイクニュースを作成して発信しても拡散を抑止できるのではないか、という期待も湧いてくる。

では、そもそも人間は誤情報やフェイクニュースを見抜けるのか。ある著名な研究成果を紹介したい。フェイクニュースの社会的影響力の大きさが問題視されるきっかけとなった二〇一六年一一月の米国大統領選の直後に、米スタンフォード大学歴史教育グループが発表した論文「情報の評価　市民のオンライン論理思考の土台」という研究結果である。

この研究グループは、米国の中学生から大学生までの七八〇四人を対象に、ウェブサイト上の様々な記事や写真を見せ、その真偽を見分ける能力を実験した。実験の一つとして、形が著しく変形した花の写真に「福島第一原子力発電所の事故の影響で変異した」という短い説明だけをつけて見せたところ、高校生のほぼ四割がその写真を「本物」と信じた。

写真には撮影場所、撮影日時、撮影者、提供メディア名などは一切、付いていない。それでも四割の高校生は、情報源を確認して真偽を見極めることをせず、「生物は放射能の影響でしばしば奇形になる」という先入観を頼りに、偽の写真を本物と信じた。彼らが写真に「フクシマの花」とのキャプションを付けてSNSで発信すれば、誤情報は一気に拡散するだろう。出典を確認してその信頼性を評価するという基本動作は若者の間でそれほど共有されていない、というのが研究グループの結論であった。

私は二〇二〇年七月、教鞭（きょうべん）を執っている立命館大学国際関係学部の授業の期末レポート試験として、このスタンフォード大の調査で使用された変形した花の写真を受講者一九〇人に見せ、「この写真は放射能の影響を証明しているか」と質問してみた。写真には撮影場所、撮影日時、撮影者、提供メディア名などは一切付いておらず、「何も言う必要はない。花が放射能の影響を受けるとこのようになる」というキャプションだけが付けられていた。

結果は一九〇人の大学生の大半は、「撮影者や撮影場所など写真の出典を示す情報がなく、本物の写真であると断定することはできない」と回答したが、一割程度の学生は「放射能を浴びれば花は変形するに決まっている」「原発の恐ろしさを訴えるのに十分な写真だ」などとして「写真は放射能の影響を証明している」と回答した。

ＳＮＳで知った情報であれ、他人の口から直接聞いた話であれ、情報の真偽を判別するための出発点は「情報の出所」が匿名ではなく実名で明示されていることである。写真の場合ならば、いつ、どこで、誰が撮影し、誰が配信・投稿・掲載したものなのか。これらが分かっていれば、あなたがその写真の真偽を確かめたい場合には、撮影者の素性を調べたり、場合によっては撮影者に直接問い合わせたり、写真が撮影された現場に赴いて様々な調査を実施することもできる。撮影者の側にしてみれば、実名で素性を明らかにして写真を公開すること——情報の出所を明示すること——によって、「偽物を公開すれば非難される」という緊張感を持つことにつながり、誤情報やデマを垂れ流すことに対する抑止力が生まれるのである。

しかし、大学のレポート試験では、同世代の中で比較的高い基礎学力を有している大学生であっても、情報の出所を吟味することなく、「生物は放射能の影響でしばしば奇形になる」という先入観を頼りに偽の写真を本物と信じてしまう人が一定程度いることが分かった。米国の高校生に比べればはるかに状況は良いが、SNS利用者の一～二割でも情報の出所を吟味しない人がいれば、誤った情報が拡散していくリスクは常に存在するだろう。

そして、一度発信された誤情報やデマは、次に紹介する研究が明らかにした人間の行動習性によって、しばしば爆発的に拡散しているとみられる。

米国のコロンビア大学とフランス国立情報学自動制御研究所の研究グループは二〇一六年四月、CNN、BBC、Foxニュース、ニューヨークタイムズ、ハフィントンポストの五つの著名な英語メディアのウェブサイトとSNSを調査した結果を論文にまとめた。

それによると、ツイッターでリツイートされるなどしてSNS上でシェアされたこれらのメディアのリンクの五九％は、SNS利用者によってクリックされた形跡が一度もなかった。つまり、ほぼ六割の人は、元の記事を読まずにニュースを拡散していたのである。

この論文は専門的で非常に難しいが、二〇一六年六月一六日に米紙ワシントン・ポスト（電子版）がこの論文を記事で紹介して注目された。論文著者の一人であるアルナウド・レグアウト氏は同紙に「人々は記事を読むより、他人にシェアしたがっている。これは現代の情報の消費の仕方の典型だ。人々は深く考えることなく、記事の要約、さらには要約の要約を基に意見を形成している」とのコメントを寄せている。

情報リテラシーと批判能力

こうして様々な調査や研究の結果をみていくと、誤情報やデマがなぜ拡散し、インフォデミックが発生するか、その過程がおぼろげながら見えてくる。

野村総研の調査のように、ＳＮＳ上の情報の信憑性をアンケートであえて質問されれば、世の中の多数を占めるであろう「普通の人」は落ち着いて物事を考え、「信憑性は低い」と冷静に回答することができる。

しかし、情報の真偽を判定する出発点であるべき「情報の出所」に無頓着な人が存在することは、先に「形が変形した花の写真」のケースで述べた通りである。また眼前のスマホの画面に何らかの情報が提示されると、実に六割の人が「記事を読むのではなく、他人に情報をシェアしたい」という思いに突き動かされ、深い思慮を欠いたまま何気なく情報を拡散している。拡散された情報が誤情報やデマの場合、インフォデミックが発生する確率は高まる。

こうしたインフォデミックの発生を少しでも減らす方策の一つは、「情報リテラシー」の高い人を社会の中に増やしていくことである。

「リテラシー」は元々、読み書きの能力のことを指す英語である。その「リテラシー」の前に「情報」を加えたのが「情報リテラシー」という概念である。「情報リテラシー」という言葉を聞くと、「パワーポイントを使った発表資料の作成」や「エクセルによる表計算」や「ユーチューブ動画の作り方」といったデジタル機器の取り扱いやインターネット利用の基礎知識のことを思い浮かべる人がいるかもしれない。だが、そうした技能や知識は、情報リテラシーという能力のごく一部でしかない。

現代を生きる私たちは日々、知らず知らずのうちに膨大な量の情報に接している。書籍、新聞、雑誌、テレビ、ラジオ、ウェブサイト、SNS、他人との会話、街角の電光掲示板、電車の中吊り広告――。私たちは日々、こうした様々なメディアが発する膨大な情報に接している。広い意味での情報リテラシーとは、さまざまなメディアから発信される情報の役割や特性、影響力などを適切に理解する力、自ら情報を探索、収集、評価、整理、表現、発信する能力全般のことを指す。

情報リテラシーの高い人は、信頼に足る情報源を探し当てることに長(た)けており、デマや誤情報に惑わされにくく、正確な事実に辿(たど)り着く確率が高い。もちろんフェイクニュースを作るようなことはせず、自らが情報発信する場合でも、何を発信すべきか、何を発信すべきではないかを適切に選(え)り分けることができるので、インフォデミックの発生には加担しない。

一方、情報リテラシーの低い人は信頼に足る情報源を探し当てることが苦手で、情報の出所や科学的証拠などを尊重しない傾向があり、しばしば「事実」と「主張・意見」を混同したりする。デマや誤情報に踊らされる場合もあり、インフォデミックの発生に知らず知らずのうちに加担してしまうことがある。

情報リテラシーの中核を成す能力の一つに、情報の真偽を批判的にチェックする批判能力がある。誤情報やデマの拡大を防ぐうえで、批判能力が高いことが決定的に重要であると言われてきた。この批判能力を巡る有名な研究の一つに、八〇年以上昔の米国で発生したラジオ番組を巡るパニックに関する研究がある。

一九三八年一〇月三〇日、米国のCBSラジオが「宇宙戦争」というラジオ・ドラマを放送した。H・G・ウェルズ原作のSF小説をドラマ化したもので、火星人が米国を襲い、街を焼き払いながらニューヨークに進撃するという話だった。ところが、ラジオのリスナーの中に番組を本当のニュースと誤解する人が相次ぎ、警察に通報が殺到し、車で街を脱出する人が続出して全米各地がパニックに陥った。

社会心理学者のハドリー・キャントリルはパニックから二年後に、この「宇宙戦争」

の番組のリスナーの行動についての調査結果を発表し、人々を四つのタイプに分類した。

第一のタイプは、放送内容の非現実性から番組をドラマであると瞬時に判断し、パニックに陥らなかった人。番組が放送された一九三〇年代の世界には宇宙ロケットも人工衛星も存在せず、宇宙に関する知識は現在ほど多くはなかったが、それでも「火星人が怪光線を発射しながら街を破壊するなどというストーリーは、どう考えても非現実的である」と判断した人が少なからず存在した。いわゆる「常識」に基づく判断である。

第二のタイプは「ひょっとしたら、これは本当のニュースではないか」と思ったものの、即断して騒ぎ立てるのではなく、様々な情報を集めて最終的にドラマだと判断した人である。このタイプの人たちは、新聞のラジオ欄を見て番組がドラマであることを確かめることや、もしも本当に町が破壊されているのならば、全てのラジオ局がニュースを放送しているに違いないと考えて、他局の放送を聴いたうえでドラマと判断した。このタイプの人たちは、複数の情報を突き合わせたうえで結論を出すという、情報に接する際の基本動作を実践したといえるだろう。

キャントリルは、この第一と第二のタイプを「批判能力の高い人」とし、これとは対照的に、次に述べる第三と第四のタイプを「批判能力の低い人」であると考えた。

　第三のタイプは、放送が本当のニュースかドラマかを見極めようと試みたが、これに失敗した人である。このタイプの人たちは、第二のタイプの人々と同じように、ラジオのチャンネルを変えるなどして、番組がドラマかニュースであるかを一応は確かめようとした。しかし、例えば他局にチャンネルを変えてみたところ讃美歌が流れていたので、人類が観念して神に祈っていると考えてしまった人や、窓から外を見たところ、たまたま車が一台も走っていなかったので、自分だけ逃げ遅れた——などと考えた人がいた。彼らは複数の情報源に当たったうえで判断を下すことや、出所のはっきりしない情報は基本的に信用しないという、情報に接する際の基本動作が不十分であった。

　そして第四のタイプは、放送の内容について何の確認行動も取らなかった人である。このタイプの人々がどこからともなく流れてきた出所のはっきりしない情報を交換したり、自分の推測や意見を述べ合っているうちに、やがて「火星人が襲ってきた」は事実として広がってしまった。キャントリルは、情報によるパニックを防ぐには第三、第四のタイプの人々を減らし、批判能力の高い第一、第二のタイプの人々を増やす必要があると論じた。*

手つかずの「情報リテラシー」教育

「宇宙戦争」を巡るパニックから八〇年以上経った今の時代、火星人が攻めてきたというドラマを現実のニュースと考える人はさすがにいないようにも思えるが、人々の批判能力を高めることの重要性は変わっていない。むしろ、一九三〇年代とは比べ物にならないほど大量の情報が短時間に、しかも国境を越えて広がっていく今日、批判能力を含む情報リテラシーを高めていく重要性は、ますます高まっていると言えるだろう。

SNSによる情報の発信、拡散、共有は、市民を連帯に導き、権力に対する監視機能を発揮することがある。本書の「はじめに」でも少し書いたが、一九九〇年代までは、新聞、テレビといったマスメディアが情報発信を独占していた。だから独裁者が統治している国や一党独裁の国では、政権が新聞社を運営し、放送局は国営だった。政権は自らに批判的な情報や不都合な情報が国民の間に流通することを恐れ、マスメディアによる自由な言論を抑え込むことで体制の維持を図ってきたのである。

SNSはこの図式に風穴を開けた。大きな設備と多数の人員を必要とするマスメディアとは異なり、SNSによる情報は個人によって、しばしば匿名で発信されるので、政権が情報発信者を捕捉して弾圧することが難しい場合がある。独裁政権が新聞社やテレビ局をコントロールする旧来の手法だけでは、自由な言論を抑え込むことが困難になってきている。中国のような権威主義体制の政府が自国民のSNSによる発信を規制したがるのは、市民の自由な情報発信が体制にとっての脅威となるからに他ならない。

しかし、その一方で、SNSによって誰もが気軽に情報発信できるようになったことにより、情報爆発ともいえる時代が到来した。人間の性格、資質、能力は様々であり、何かの情報に接すると真偽も確かめずに大騒ぎする人が存在する一方、落ち着いて真偽を見分けることができる人もいる。だが、一人の人間が頭の中で処理できる情報量に限度があることは確かであり、信頼に足る情報源を見つけ出し、正しい情報と誤情報やデマを峻別（しゅんべつ）することが誰にとっても難しくなっていることは事実だろう。スマホのタイムラインに次々に流れる情報の中から、何が事実で、何がフェイクニュースなのかを瞬時に判断するのはかなり難しい。フェイクニュースの写真や音声は、しばしばコンピューターを駆使した高度な技術によって制作されているからである。

また、新聞、テレビといったマスメディアがニュースとして報じる情報をどう考えるべきかという、古くて新しい問題もある。マスメディアの在り方は国や時代によって様々であり、事実を可能な限り公正に伝えているマスメディアもあれば、政府の宣伝機関に過ぎない新聞社やテレビ局もある。言論の自由が憲法によって保障されている国のマスメディアであっても、実態は政権の広報機関に堕(だ)しているとしか思えないマスメディアもあるし、新聞社やテレビ局が自社の政治的主張に沿った報道を展開することで、読者と視聴者をミスリードしているケースもある。

さらに言えば、だからといって「○○新聞が伝えることは偏向しており、嘘(うそ)である」「マスゴミは腐敗しており、真実はネット上のSNSがもたらす情報に含まれている」と主張することが常に正しいわけでもない。声高なマスメディア批判を展開している人の中には、自分の政治的主張に沿った報道をしているメディアを高く評価し、自分の政治的主張に反対のニュースを伝えているメディアを否定しているだけの人もいる。これは、マスメディアの問題だけではなく、市民の側の問題でもある。

本章では、SNSの急速な普及によって深刻さの度合いを増したインフォデミック関連の諸問題について素描してきた。読者は既に気付いていると思うが、現代社会には情報が溢れているにもかかわらず、「メディア」「ジャーナリズム」「情報」といったことに関する基礎的な知識と認識は、あまり共有されておらず、学校での体系的な教育もされていないのである。マスメディアやSNSの特質、欠点、利点は何なのか。そこでの情報の生産、流通活動はどのように展開しているのか。目の前の情報をどのように評価すべきなのか。次の章からは、こうした問題の一つ一つを読者と一緒に考えていきたい。

*近年の研究では、ラジオドラマ「宇宙戦争」を聴いた市民が逃げ惑う大規模なパニックは実際には発生しておらず、「市民がパニックを起こした」という情報そのものが、当時の米国の新聞による「捏造」であったと考えられている。「パニックが発生した」という前提で番組リスナーの行動を調査したキャントリルの研究成果に対しても、疑義が向けられるようになっている。日本を代表するメディア研究者の佐藤卓己氏は著作の中で、キャントリルの研究成果を「鵜呑みにしてきた私自身を含めてメディア研究者の責任は重い」と記している。詳しくは次の著作を参照。佐藤卓己『メディア論の名著30』ちくま新書、二〇二〇年、一三二―一四一頁。

第二章　ジャーナリズムとは何か

人は生きるために「ニュース」を欲する

私は時々、大学のキャンパスを歩きながら学生たちのおしゃべりに耳を澄ましてみる。試験が近づいている時には、どのような問題が出そうかを予想している学生がいる。少し離れたところで、「アルバイト先の居酒屋の店長はいい人だが、先輩は怖い」という話をしている学生もいる。「A教授は厳しいが、B教授は簡単に単位をくれる」という情報交換もある。「A社のインターンにES（エントリーシート）出した？」と就職活動の進捗状況をそれとなく友人に確認している学生もいる。

私は時々、新聞社に勤めていたころに酒を飲みながら同僚と交わした会話を思い出してみる。「あのデスク、自分の失敗を棚に上げて、よく言うわ」という愚痴。「編集局長は先日のあの記事をえらく評価していた」「昨日、部長はひどく不機嫌だった」などと上司にまつわる情報を交換した記憶もある。「AさんとBさんは最近うまくいってないらしい」などという、社内の人間関係についての話も多かったように思う。

老若男女、人種、民族、信じている宗教、住んでいる国や地域。人間はそうした属性に関係なく、友人や同僚と様々な情報を日常的に交換している。初対面の相手や、さほど親しくない人と出会った時には、天気や目の前の景色など当たり障りのない話にとどめることもあるが、友人や同僚のような多少なりとも親しい間柄の場合は、自分が知っている情報を相手も知っているかを確認したり、知らなかったことを教え合ったりする。

なぜ、人間は情報を共有し、交換するのだろうか。古代ギリシャの哲学者アリストテレス（紀元前三八四～前三二二）は、『形而上学』という有名な著作の冒頭に「すべての人間は、生まれつき、知ることを欲する」という一文を書き残している。人間には、自らの直接的な経験の範囲外の出来事について「知りたい」という本能がある、という意味だ。どうやら人間は、食欲や性欲と同じように、「知りたい」という本能的欲求を持った生き物なのである。

人間が何かを知らずにはいられない生き物であることには、恐らく合理的な理由がある。例えば、なぜ、学生は友人に「レポートの提出締め切りは明日だったよね」と念押しするのか。締め切り日を誤って認識していれば、レポート提出が間に合わず、単位を取得できない可能性がある。そうした危機を回避するために、学生たちは、自分が持っている締め切り日の情報に誤りがないことを確認しているのだろう。

なぜ、サラリーマンは同僚と酒を飲みながら、上司の性格や社内の人間関係について情報交換するのか。それは上司の性格や社内の人間関係を知っておくことが、組織内における自分の立ち位置を決めるのにしばしば有益だからだろう。また、情報交換した同僚の反応に注目することによって、その同僚がどの程度信用できる人間なのかを判断し、自分にとって「味方」なのか「敵」なのかを見分けたいからだろう。つまり、私たちは情報を得ることで、自らの安全を確保していると言える。

自分が直接この目で見ることができない情報であっても、自らの安全に影響する情報はいくらでもある。朝の出勤前にテレビをつけて電車の運行状況をチェックするのは、事故による遅延や運休で遅刻することを防ぐためである。国民の多くが総理大臣の交代に注目するのは、国のトップが交代すれば政策が変わり、自分が納めなければならない税金が上がるかもしれないし、勤め先の会社に不利な新しい政策が導入されるかもしれないからである。遠く離れた外国の出来事に注意を払うのは、地球の反対側の戦争であっても、自分の保有する株の暴落につながるかもしれないからだろう。中国発とされる新型コロナウイルスが全世界に拡大した現状を見れば、世界のどこで起きた出来事であっても無関係ではいられないことが分かるだろう。

このように私たちは、今まで知らなかった新しい情報を得ることで、自らを守り、損得を計算し、友人と敵を区別し、友人である場合はさらに関係を親密なものとし、敵である場合は警戒を強め、危機を回避するために備え、何らかの判断を下し、次の行動を決めている。人間は生きるために、常に新しい情報を必要としているのである。

人間が生きていくために必要とする新しい情報——。私たちは一般にそれを「ニュース」と呼んでいる。第一章で述べたように、現代の世界では、誤情報や虚偽の情報があたかも「正しいニュース」であるかのように流通し、情報の真偽を見極めることが難しくなっている。そこで、第二章からは、「正しいニュース」に辿(たど)り着くために必要な事柄を一つ一つ順番に考えていきたい。

「メディア」とは何か

最初に「メディア」について考えるところから始めよう。メディアの形態はニュースの質や流通の仕方に非常に深く関係しているからである。

私たちはニュースを運んでくる媒体を「メディア（media）」と呼んでいる。Media はラテン語の Medium の複数形で、元々は媒介者や霊媒者という意味がある。メディアは人間の声、紙やパソコンの画面に書かれた文字、絵画や写真、テレビや映画の映像など他者に情報を伝達する媒体のことを広く指す言葉であり、例えば、あなたがAさんから「近所のスーパーマーケットで牛乳の半額セールをやっている」と教えてもらい、友人のBさんにその情報を教えてあげた場合、あなたという個人が発する言葉がメディアである。メディアという言葉を聞くと、テレビ、ラジオ、新聞といったマスメディアのことを想像する人が多いと思うが、テレビ、ラジオ、新聞といったマスメディアは、不特定多数の大衆（マス）に情報を伝達するためのメディアを指す言葉である。

人類にとっての最古のメディアの一つは、他者に向かって発する言葉である。言葉以外でも「身振り手振り」である程度の意思疎通は可能だが、人間が他の動物と異なるのは、言葉を操ることによって複雑な意思疎通を図ることができることである。私たちは日常生活で他者に向けて言葉を発し、他者が発した言葉の意味を理解することで、膨大なニュースを交換している。言葉の発明は、人類を人類足らしめている偉大な発明であり、太古の昔の我々の祖先が言葉を操ることができるようになったことを、人類史における最初の「情報革命」とする見方もある。

しかし、音声によって言葉を交換することには弱点がある。会話を録音しない限り、言葉は記録に残らない。テープレコーダーやＩＣレコーダーが発明されたのは、長い人類の歴史からみれば最近のことに過ぎない。ニュースが音声によって運ばれている限り、人間はニュースの内容を「記録」ではなく「記憶」し続けなければならない。

ところが、人間の記憶力は曖昧であり、音声によって交換されたニュースは、人から人へと伝わっていく間に、しばしば元の意味をとどめないほど変化してしまうことがある。音声によるニュースの交換には、情報内容の正確さという点で大きな課題が残るのである。

この情報の正確さの問題の解決に大きく寄与したのが、「文字の発明」であった。今から五〇〇〇年以上昔の紀元前三五〇〇年ごろ、現在のトルコ領内を水源とするティグリス川とユーフラテス川という二つの河川の流域に都市国家が成立し、メソポタミア文明が興った。この文明を支えたのは小麦生産を主力とする高い農業生産力であり、メソポタミア文明を支えたシュメール人たちは、小麦の収穫量などを可能な限り正確に管理するために「楔形文字（くさびがた）」と呼ばれる文字を発明した。

やがて文字は、アフリカ北東部を流れるナイル川流域に起こったエジプト文明、中国の黄河流域に興った黄河文明、インドのインダス川流域に興ったインダス文明などでも使われるようになった。音声に加えて文字がメディアの仲間入りを果たしたことにより、人類は記憶に頼ることなく、情報内容を正確に記録し、同時代と後世の他者に伝えることが可能になったのである。これもまた、人類史における「情報革命」であったことは疑いない。

時間の経過とともに、文字は世界各地に広がり始め、先述した四大文明以外の地域でも、様々な情報が文字によって記録され、流通するようになった。私たちの先祖である日本語話者たちが初めて漢字に出会ったのは、一世紀ごろだと推定されている。その後、五世紀までの間に日本に漢字が流入し、日本人はそれを基に万葉仮名と呼ばれる独自の文字を編み出し、それまで音声で発話していた日本語を文字で表記するようになった。さらに九世紀ごろには、ひらがなが使われ始めた。

革命的技術「活版印刷」の登場

だが、この世に文字が存在するだけで、今日のように多くの人が知識や情報を広く共有する社会が到来したわけではなかった。例えば、江戸時代に庶民の教育機関としての寺子屋が存在していた日本は、近代化前の時点で既に多くの庶民が読み書きできた社会として知られているが、そんな日本でさえも、およそ一三〇年前の明治二〇年ごろに自分の名前を読み書きできた人の割合は、全国平均で男性が推定五〇〜六〇%、女性が推定三〇%前後だったという調査結果がある。日本のような先進民主主義国においてすら、ほぼ全ての国民が読み書きをできるようになったのは、長い人類の歴史から見ればごく最近のことだ。世界には今も発展途上国の貧困層を中心に読み書きのできない人が多数存在する。国連の統計では、読み書きのできない人は世界人口のおよそ六人に一人に当たる一五億人に達し、アフリカのニジェールのように、一五〜二四歳の女性のおよそ八割が読み書きできないと推定されている国もある。

日本の場合、奈良時代以降に国内に普及した書物は主に漢字で書かれた仏教の経典であり、これを自在に読みこなせたのは高僧や貴族などの特権・支配階級であった。室町時代後期になると、経典だけでなく論語などの漢籍や医学書なども普及したが、これを読みこなしたのもやはり僧侶や貴族でそれに武士階級が加わっただけである。欧州においても、文字を操ることができたのは、長年にわたって少数の高位聖職者、王室、貴族、学者といった支配層や特権層であったと考えられる。

文字が庶民になかなか普及しなかった理由の一つは、技術的制約であった。例えば、敬虔(けいけん)なキリスト教徒が聖書を読み、その素晴らしさに感動してその教えを広く普及したいと思っても、人間が手書きで一冊ずつ書き写していく方法では、制作できる書物の数には限りがある。莫大な労力を投入して制作された数少ない書物は貴重なものであり、入手できるのは必然的に一部のエリート層の人々、ということになる。言い方を変えれば、エリートたちは文字によって記された高度な知識や情報を独占することで、知識や情報にアクセスできない庶民たちを知的に支配していたと言えるだろう。

しかし現在、私たちは幼児期から絵本に触れながら文字を学び、小学校入学後は教科書を通して漢字を学んでいる。そして多くの人は高校や大学を卒業するまで、無数の書物を通じて大量の知識と情報を効率的に吸収し、成人後も生涯にわたって新聞や雑誌や単行本や各種レポートなどから様々な知識や情報を獲得し続ける。現代社会において、文字による情報入手が特権層や支配層だけのものでないことは言うまでもない。

今日、私たちのこうした営みを可能にしているのは、活字メディアの存在である。多くの人が文字を通して情報を入手できる現在の状態は、新聞や書籍を短時間に大量生産できる活版印刷技術の存在によって、初めて可能になっているのである。

活版印刷技術は、今からおよそ五五〇年前の一五世紀の中頃、欧州で発明されたと言われている。活版印刷機の最初の発明者が誰なのかについては専門家の間で論争があり、正確には分かっていないが、現在のドイツに当たる神聖ローマ帝国の都市マインツ出身の金細工職人であるヨハネス・グーテンベルク（一四〇〇?～一四六八）が一四五〇年前後に活版印刷機を製作し、聖書などキリスト教関連書籍の印刷を始めたとの説が有力である。

活版印刷機の最初の発明者が誰であったのかは、本書の主題から外れるので深入りしない。重要なのは、一五世紀の活版印刷機の発明が人類社会に与えた影響の大きさである。活版印刷技術の登場が人類に与えた影響を分析した米国の歴史学者エリザベス・アイゼンステイン（一九二三〜二〇一六）は、一五世紀の欧州におけるルネサンス、宗教改革、科学革命など他の諸要素と活版印刷技術が相互作用し、およそ一世紀近くかけて欧州の社会を根底から変えていったと説明している。

アイゼンステインによれば、活版印刷機によって短時間に大量の印刷物が製作されるようになったことで、社会に出回る書物の量が激増し、文書の正確な複製が可能となった。その結果、それまでもっぱら口承によって伝えられていた様々な知識や情報が、大量の印刷物によって社会に広く公開されるようになった。しかも、記憶に頼る口伝えの情報伝達の時とは異なり、文字による記録は、複数の事実の比較や、事後の検証を容易にした。情報の真偽を確かめることが容易になり、既に判明している事実の上に新たな科学的知見を積み上げることも促進され、情報を別の言語へ翻訳することも容易になった――。活版印刷技術の登場が人類社会に与えた影響を、アイゼンステインはこのように総括した。

ジャーナリズムの誕生

人類の歴史を振り返れば、そのほとんどが王や皇帝や将軍といった少数の権力者による支配の連続であり、人々が自分の住みたい社会を自力でデザインできた歴史など、ほとんど存在しなかったと言っても過言ではない。独裁者が支配している国家は日本のすぐ近くに今もあるし、表向きは民主主義国家を装いながら大統領を中心とした強権支配が行われている国は、二一世紀の今日でもいくらでも存在する。

だが、ギリシャの哲学者アリストテレスが「すべての人間は、生まれつき、知ることを欲する」と書き残したように、人間は自らの直接的な体験を超えたできごとを知りたいという本能的な要求を持っている。なぜなら先述したように、人間はニュースを得ることで、自らを守り、損得を計算し、友人と敵を区別し、危機に備え、何らかの判断を下し、次の行動を決める生き物だからである。人間は自由な環境の下で、自らを統治するために必要な情報を獲得し、その情報を基に自分の運命を決めたい。どういう人生を送るか、どういう社会に住みたいかについて、親や長老やボスや王の言いなりになるのではなく、可能な限り自分で決めたいという本能的な欲求を誰もが持っている。

多くの人が大量の情報を共有できる活版印刷の登場は、こうした人間の「自治」を求める本能的要求を開花させる巨大な転機になった。印刷物に記された大量の情報を庶民が共有すれば、その情報に基づいて自分たちが住みたい社会の姿を自分たちで考え、皆で力を合わせて支配者に対抗できるかもしれないからだ。

活版印刷の普及が進んだ一七世紀初頭の一六〇五年、神聖ローマ帝国の都市ストラスブール（現フランス）で「Relation」という名の世界最古の新聞が発行され、やがてドイツの各都市や英国で次々に新聞が誕生する時代が始まった。その過程で、情報を集めて人々に届ける専門家——ジャーナリスト——が生まれ、情報を集めて人々にニュースを提供するシステムは「ジャーナリズム」と呼ばれるようになった。人々はジャーナリストが取材した情報を新聞によって知り、その情報を基に自分たちの暮らす社会の在り方を巡って議論を交わし、自治を求めて時に権力者を批判し、怒った権力者はしばしば人々を弾圧してきた。

このように「ジャーナリズム」は、活字メディアの登場を契機として、自由と民主主義を求めて戦う人々の営みとして姿を現し、発展してきた。だからジャーナリズムは、少しでも多く金を稼ぐための「ビジネス」ではなく、科学的思考によって知を究めていく「アカデミズム」とも異なり、役所・国会・裁判所・警察といった「国家」の一部でもない。

また、現代のマスメディアは日々、流行のファッションや美味しいスイーツを売っている店に関する情報も伝えているが、そうした情報を報道することも、本来の意味でのジャーナリズムではない。素晴らしいファッションや美味しいスイーツに関するニュースは人々の気持ちを和ませ、社会を明るくするという点では、大切な情報である。しかし、ジャーナリズムとは、単に右から左へ情報を伝える活動ではなく、特定の商品を「広告」することや「宣伝」するための活動でもない。

ジャーナリズムが自由と民主主義を求める市民の戦いとともに姿を現したという歴史を踏まえれば、ジャーナリズムの第一の使命は、権力者の意向を国民にアナウンスすることではないし、政府の活動を「広報」することでもない。ジャーナリズムとは、市民社会の自由を守り、市民の自治に必要な情報を提供する活動のことをいうのである。

したがって、世界には数多くのマスメディアが存在するが、その中には、ジャーナリズムを実践しているとは言えないマスメディアも多数存在している。現代社会におけるそうしたマスメディアの典型は、中国共産党の方針を無批判に伝えている国営新聞『人民日報』や国営テレビ『中国中央電視台』だろう。

二〇二〇年一二月一二日の共同通信の報道によると、中国の習近平国家主席は二〇一六年二月一九日に開かれた国内報道関係者との会合で、絶対的な「報道の自由」などというものは誤りだとして、西側メディアを激しく非難した。習主席のこの発言は、二〇二〇年一一月に中国で出版された習主席の発言集『党の宣伝思想工作を論ず』に記録されていたという。

一党独裁国家の最高権力者がこのような価値観の持ち主である状況下で、『人民日報』や『中国中央電視台』の記者が自国政府を批判すれば、ただでは済まないだろう。だから中国の国営メディアは、国家主席を称賛することは多々あっても批判することはない。そういう組織は、マスメディアであってもジャーナリズムとは言えない。

ジャーナリズムは、市民が社会を自力でデザインするために必要な情報を、事実に基づいて提供する活動である。したがって、ジャーナリズムを実践するためには、「言論の自由」と「報道の自由」が保障されなければならないし、ジャーナリズムは「言論の自由」と「報道の自由」が保障されるよう要求し続けなければならない。

そして、ここが重要な点だが、「言論の自由」と「報道の自由」とは、「権力者を批判できる自由」のことをいう。「権力者を称賛する自由」であれば、わざわざ保障する必要もないからである。そんなものは保障しなくても、権力者は言いたいことを自由に言い、やりたいことを自由にできるからこそ権力者なのだ。最高権力者を賛美する「言論の自由」と「報道の自由」は、わざわざ保障しなくても元々存在している。

ジャーナリズムの使命

「言論の自由」や「報道の自由」が保障されていない国でジャーナリストが権力者を批判すれば、逮捕・拘禁されたり、最悪の場合には殺害されることもある。戦後日本のような民主主義国家の場合、ジャーナリストが逮捕されたり殺害されたりすることはないが、それでも執拗(しつよう)に政府批判を続けていれば、何らかの嫌がらせをされることはあり得る。ジャーナリズムがこの世に姿を現して三〇〇年ほどの時間が経過した今も、ジャーナリズムを実践することは、国によっては命がけの営みである。それは次に記す統計を見れば分かる。

パリに本部を置く国際ジャーナリスト組織「国境なき記者団」が二〇二〇年一二月二八日に公表した報告書によると、二〇二〇年の一年間（一月一日〜一二月一五日）で、世界で五〇人の報道関係者がジャーナリズムの仕事に関連して死亡した。

注目すべきは、五〇人のうち六八％に当たる三四人は紛争地以外で死亡していることだ。国別ではメキシコ（八人）、イラク（六人）、アフガニスタン（五人）、インド、パキスタン（各四人）などで死者が多かった。汚職、麻薬取引、資源の違法採掘など何らかの不正に関する取材に携わっていた記者が殺害されるケースが多数あったのである。

私は毎日新聞の南アフリカ・ヨハネスブルク駐在だった二〇〇四〜二〇〇八年当時、ソマリア、コンゴ民主共和国北東部、スーダン西部、チャド東部など、日本外務省がレベル４（退避勧告）を発令していたアフリカ各地の紛争地に積極的に取材に出かけた。紛争地での取材ではどんなに安全対策に力を入れていても、銃撃や爆撃に巻き込まれたり、地雷などの爆発物に触れて犠牲になることもある。本人の不注意や無謀な振る舞いが死を招く場合もあるが、流れ弾に当たるかどうかは「運の悪さ」によるところも大きい。

これに対し、紛争地以外でのジャーナリストの犠牲は「運の悪さ」の問題ではなく、調査報道を手掛けるジャーナリストが標的にされ暗殺されていることを示している。国別で犠牲者が最多だったメキシコが非紛争国である事実は、その証左だろう。メキシコでは麻薬組織と政界のつながりを調べていたジャーナリストが首を切断されるなど残虐な殺害行為の犠牲となっている。

ジャーナリストに迫る危機は殺害だけではない。ニューヨークに本部を置く民間団体「ジャーナリスト保護委員会」によると、政権を批判したことなどによって逮捕・拘禁されている報道関係者は二〇二〇年一二月一日時点で二七四人に上り一九九〇年初頭に統計をとり始めて以降、最多となった。国別では中国の四七人が最多で、以下トルコ三七人、エジプト二七人――と続く。中国では殺害された報道関係者こそゼロだが、逮捕・拘禁者の多さは、中国共産党に対する批判が許されない現実を示しているだろう。

社会にはびこる不正、特に権力の不正を調べ、権力を批判することは、ジャーナリズムの重要な使命である。先述した通り、ジャーナリズムは、市民が社会を自力でデザインするために必要な情報を事実に基づいて提供する活動である。市民が自分たちの生きる社会をより良いものにするには、様々な不正、とりわけ社会の支配者や権力者の不正を監視する必要があるからである。

では、この「権力の監視」だけがジャーナリズムの使命なのだろうか。先ほど、ジャーナリズムは「ビジネス」とも「アカデミズム」とも異なり、「国家」の一部でもなく、「広告」や「宣伝」や「広報」とも違うと記した。ならば、改めてジャーナリズムの使命とは何か。

ジャーナリズムの使命について、何らかの公的な定義があるわけではないし、ジャーナリストであっても、改めて「ジャーナリズムの使命は?」と問われれば、明確に答えられない人が少なくないだろう。私自身、新聞社で働いていた当時、日々の仕事の中で漠然と「ジャーナリズムの使命」に思いを馳せることはあったが、それを明瞭な言葉にして整理してみたことはなかった。

この「ジャーナリズムの使命」を明らかにする作業に真正面から挑んだのが、ビル・コヴァッチとトム・ローゼンスティールという、練達の米国人ジャーナリストのコンビである。彼らは一九九〇年代以降の米国のテレビに「情報番組」や「ニュース・ショー」が増えたことに伴い、本来の意味でのジャーナリズムが衰退しているのではないかと強い危機感を抱き、「ジャーナリズムはいかにあるべきか」について膨大な取材を実施した。二人は、計三〇〇〇人が参加した二一回に及ぶ公開討論を開催し、現職ジャーナリストに対する一〇〇回以上のインタビューを行い、ジャーナリズムや言論の自由の歴史に関する研究者たちを取材し、ジャーナリズム研究の様々な文献を渉猟した。

その成果は二〇〇一年に〝The Elements of Journalism〟として刊行され、日本では日本経済評論社から『ジャーナリズムの原則』として二〇〇二年に翻訳が出版された。そこには二人が辿り着いた「ジャーナリズムが守るべき原則」として以下の九点が明示されている。

一、ジャーナリズムが第一に責任を負うべきものは真実である。
二、ジャーナリズムは第一に市民に忠実であるべきである。
三、ジャーナリズムの神髄は検証の方法にある。
四、ジャーナリズムに従事する者は、取材対象から独立を維持しなければならない。
五、ジャーナリズムは独立した権力監視役として機能すべきである。
六、ジャーナリズムは、人々が批判し合い、歩み寄るための公開討論の場を提供しなければならない。
七、ジャーナリズムは重要な問題を、興味深く適切な形で伝えるよう努めなければならない。
八、ジャーナリズムはニュースの包括性と均衡を保たなくてはならない。
九、ジャーナリズムに従事する者は自らの良心の実践を許されるべきである。
ここには先述した「権力の監視」も含まれているが、それはあくまでも「原則」の一つであり、ジャーナリズムが「市民が社会を自力でデザインするために必要な情報を事実に基づいて提供する活動」であり続けるためには、これら九つの原則が同時に守られていなければならないと、同書は結論付けている。

テレビをつけてみれば、こうしたジャーナリズムの原則からはほど遠い「情報番組」や「ニュース・ショー」なるものが朝から晩まで放映されており、ジャーナリストを気取るキャスターやタレントが我が物顔でコメントしている現状に辟易（へきえき）としている読者も少なくないだろう。マスメディアが「マスゴミ」と軽蔑される所以（ゆえん）である。

しかし、日本のマスメディアの憂えるべき現状については第四章と第五章で詳述することにして、ここでは「ジャーナリズムはいかにあるべきか」という原則を確認しておきたい。「マスゴミ」を批判するにしても、何が正当かつ的確なメディア批判であり、何が誤解や思い上がりに基づくお門違いの「批判」なのかを区別するためには、批判を繰り出す読者のあなた自身がジャーナリズムの原則を踏まえていなければならないからである。

第三章　事実・捏造・偏向

「事実」とは何か

第二章でジャーナリズムの九つの原則を確認したが、およそ三〇〇年前にジャーナリズムが誕生して以降、一貫して変わらない最重要の原則がある。それは、ジャーナリズムにおいては、市民に提供される情報が創作ではなく、事実＝本当にあったことでなければならないという原則である。ジャーナリズムの九原則の第一項に挙げられた「ジャーナリズムが第一に責任を負うべきものは真実である」がこれである。

ジャーナリストは事実をつかむことに全力を挙げ、事実を伝えるのが使命である。また、ジャーナリストはストーリーを構成し、意見を述べることもあるが、その場合でも事実に基づいてストーリーを構成し、事実に基づいて意見を述べなければならない。そして、その事実は「真実」でなければならない。小説やドラマは、それがどんなに優れた作品であっても、事実によって構成されてはいないのでジャーナリズムではない。

市民との間でこうした約束があるからこそ、ジャーナリズムにおいてフェイクニュース（虚偽情報）は許されない。本書でも後に少し触れるが、フェイクニュースを見抜くには様々なテクニックがあり、近年は「フェイクニュースの見抜き方」に狙いを絞った優れた著作も相次いで出版されている。

しかし、フェイクニュースに騙されさえしなければ事実に辿り着けるのかというと、そうではない。「事実とは何か」という問題は、突き詰めて考えていくと、実はいくつもの複雑で難しい問題を含んでいる。そこで本章では、ジャーナリズムの生命線である「事実」という問題について考えていきたい。

まず、次の三つの短い言葉（命題）を読んで欲しい。

（一）白い鳥は白い
（二）白い鳥は飛べる
（三）白い鳥は美しい

三つの言葉はいずれも白鳥について説明したものだが、全く性格の異なる言葉である。（一）の「白い鳥は白い」は議論の余地のない命題である。私が「白い鳥は白い」と言おうが、あなたが「白い鳥は白い」と言おうが、結論は「白い鳥は白い」しかない。「白い鳥」は「白い」から「白い鳥」なのであって、「白くない鳥」は「白い鳥」ではない。このように形式的な証明手続きによって真偽が判定できる命題を分析命題という。

私たちが日常生活でメディアを通じて様々なニュースに接する際、この「白い鳥は白い」や「一＋一＝二」のような分析命題について、その真偽を敢えて考える必要はほとんどない。「一＋一」がなぜ「二」なのかを証明するのは、ひとまず数学者や哲学者に任せておこう。

私たちがニュースに接した際、その内容の真偽が問題になるのは、（二）の「白い鳥は飛べる」のような言葉（経験命題）に接した時である。なぜなら、「白い鳥」の中には白鳥のように「飛べる鳥」もいるし、養鶏場で飼育されているニワトリのように「ほとんど飛べない鳥」もいる可能性があるからである。したがって、私たちは「白い鳥」が飛べるのか飛べないのか、飛べる鳥と飛べない鳥の両方がいるのか――などを文献などに当たって調べたうえで、「白い鳥は飛べる」の真偽を判定しなければならない。白い鳥が飛べるか否かを判定するだけならば、大半の人が鳥類図鑑や鳥類に関するウェブサイトなどにアクセスして情報を集め、容易に真偽を判定できるだろう。

しかし、現実の世界には、事実を確定させることが難しい情報が溢れ返っている。真偽を判定するために実験が有効な場合もあるが、社会的な事象については実験が不可能なケースがほとんどである。例えば、「水は0℃で凍る」という情報の真偽は実験によって確かめることができる。だが、目撃者も物的証拠も存在せず、本人が犯行を否認している殺人事件で、「真犯人はA氏である」という命題の真偽を判定することは極めて難しい。実験によって殺人事件そのものを再現することはできないし、可能な限り多くの証拠を積み上げることによって裁判でA氏が有罪宣告されたとしても、それはあくまでも「仮説」の域を出ておらず、将来、真偽が逆転することもあり得るのである。

「事実」の乱立

「白い鳥は飛べる」のような言葉(経験命題)の真偽を判定する際の問題はそれだけで

はない。真偽を判定するために様々な関連情報を集める作業の中には、人間の価値観、感情、政治的思惑などを完全には排除できないケースがある。その結果、何が事実かを巡って人々の間に対立が生じ、複数の「事実」が乱立することすらある。例えば、次の文章を読んで欲しい。

「○○紛争の際に、A国の軍隊が虐殺したB国の民間人の死者は××人である」

A国とB国の間で戦われた○○紛争が泥沼化し、両国政府ともに犠牲者の正確な数についての統計を持たない状態になったと仮定しよう。この時、A国軍によって虐殺されたB国の犠牲者数××人を巡って、現実にはしばしば次のようなことが起きている。

戦時であっても子供を含む多数の民間人を虐殺することは、法的にも道義的にも許されることではない。加害者であるA国の政府も国民も、その原則は重々承知しており、内心では自国軍による虐殺を恥ずべき行為だと感じている人も少なくない。自国の軍隊が多数の子供を虐殺するような卑怯者（ひきょうもの）の集まりであることを認めるのは、耐えがたい苦痛である。このため、加害者であるA国の政府と国民には、犠牲者数をできるだけ少なく見積もりたいという心理が働きやすい。その結果、A国では犠牲者××人の値を過小評価しようとする声が強まり、犠牲者数を最小化するのに有利な情報が好んで収集されやすい。そして時には、その情報が虚偽であっても「事実」として社会に定着してしまうことがある。

一方、被害者であるB国では、これと逆の力が働きやすい。B国の政府と国民にとっては、多数の子供を含む市民を殺害したA国は憎い存在である。さらにB国の政治指導者にとって、A国軍による虐殺の過去は、さまざまな局面で使える「カード」でもある。例えば、経済状態の悪化で国民の不満の矛先が政府に向かおうとしている時、A国軍による虐殺の過去を声高に宣伝し、国民の怒りの矛先をA国へ仕向けることもできるだろう。政治指導者にとって、自国が「被害者」であることは、しばしば政治的な武器になる。その結果、B国では、A国軍による虐殺の犠牲者××人を過大評価する声が大きくなりがちで、犠牲者数を最大化するための様々な情報が好んで収集されやすい。そして時には、その情報が虚偽であっても「事実」として社会に定着してしまうことがある。

勘の良い読者は気付いたと思うが、日中戦争での日本軍による残虐行為の犠牲になった中国市民の数に関する論争は、こうした事実を巡る対立の典型である。

記録の不備や散逸といった問題がある中で、戦後長い時間が経過し、目撃者や証人が相次いで他界していけば、はたして何人の市民が犠牲になったのかを正確な「事実」として確定することは元より難しいというほかない。

しかし、元々存在していた困難とは別に事実の確定を難しくした理由の一つは、事実の確定作業に人間の価値観、感情、政治的思惑が入り込んだことである。戦後の日本には、戦時中の日本軍による残虐行為の事実を過小評価したい人々が一定数存在し、社会と政治に一定の影響力を及ぼしてきた。他方、戦後の中国では、日本軍による残虐行為の被害を政府が誇張し、国民の「反日」感情を煽ったり、国民の統制に「反日」を利用してきた。こうした日本側のナショナリズムと中国政府の政治的思惑によって、それぞれにとって都合の良い複数の「事実」が独り歩きすることになってしまったのである。

一九三〇~四〇年代の日中間の戦争だけでなく、古今東西の多くの戦争において、犠牲者数が正確に把握できないケースは珍しくない。私はアフリカ地域研究を専門としているが、アフリカで起きた紛争では、結局何人が犠牲になったのか最後まで分からないケースが少なくない。政府の行政能力が総じて低く、先進諸国のように住民登録が完備していない国が多いため、いざ紛争が起きると混乱に拍車がかかり、誰も正確な犠牲者数を把握できなくなる。そして最終的には、様々な当事者が自身にとって都合の良い数値を「事実」として流布してしまうケースが後を絶たない。

「本当の事実」は当然ながらこの世に一つしか存在しない。しかし、ここまで見てきたように、様々な立場の人々の価値観、感情、政治的思惑などが入り込むことによって、現実には複数の「事実」がしばしば乱立する。

多数の「事実」の中から何が「本当の事実」かを特定することは、容易な場合もあるし、困難な場合もある。第一章で述べた通り（37頁）、情報の真偽を判別するための出発点は、情報の出所が明示されていることである。一つの事柄を巡って矛盾する多数の「事実」に遭遇した時には、その事実の出所がどのような性格の国家、組織、人物であるかを慎重に見極めながら、少しずつ「本当の事実」に近付いていくしかない。

実名発言の重要性

ここまで見てきたように、(二)の「白い鳥は飛べる」のような情報(経験命題)が事実か否かを確定するだけでも、現実の社会では容易ではない。では、(三)の「白い鳥は美しい」という情報(価値命題)についてはどうだろうか。

(三)の「白い鳥は美しい」は、個人の主観に基づく主張、意見、感想を述べたものである。「白い鳥」の中には「美しい鳥」も「美しくない鳥」もいるだろうが、そもそも美に絶対的な基準は存在しない。私にとって「美しい」鳥も、読者のあなたにとっては「美しくない」鳥かもしれない。「美しい」か「美しくない」かは価値判断の問題である。人間が一〇人いれば一〇通りの、一〇〇人いれば一〇〇通りの価値基準があり、その価値基準に基づく価値判断(意見・感想)がある。したがって、主張や意見や感想は人の数だけ存在する。

十人十色の価値基準に基づいて意見や感想を発する時に一番大切なことは何か。それは、その意見や感想の内容以上に、その発言者が「どこの誰なのか」という実名性が担保されていることである。なぜなら、わずかでも価値判断を含む発言は、その発言の責任を引き受ける個人を離れては存在し得ないからだ。「何を言ったか」だけでなく「誰が言ったか」が明確にされ、発言者が発言の責任を引き受けない限り、その言葉の本当の意味は確定できない。

例を挙げてみよう。あなたがある日、スマホで「菅義偉（すがよしひで）総理大臣の新型コロナ対策は間違っている」という発言を見つけたとする。この発言の結論部分の「間違っている」は主観に基づく価値判断であり、何かの事実について述べたものではない。つまり、「菅義偉総理大臣の新型コロナ対策は間違っている」は、(三)「白い鳥は美しい」と同じ性格の言葉である。

あなたはそこで、これが誰の発言であるかを考える。仮に共産党議員A氏と自民党議員B氏という二人の国会議員がいたとしよう。この言葉の発言者が共産党議員A氏である場合、発言にはどのような意味があるだろうか。恐らくあなたは、この発言に何の驚きも感じないに違いない。共産党が長年にわたって常に自民党を批判していることは、日本政治を知る人にとっては常識である。そういう共産党の議員A氏が自民党総裁である菅首相の政策を批判するのは「当たり前」の範疇（はんちゅう）に属することであり、発言は菅首相の政権運営にほとんど影響を与えないだろう。

しかし、「菅義偉総理大臣の新型コロナ対策は間違っている」の発言者が自民党議員B氏である場合、話は根底から変わる。自民党総裁である首相の政策を支持し、その実現のために助力することは、自民党議員の重要な仕事のはずである。そういう首相の足元から批判が公然と噴出している状況は、菅政権にとっての一大事に違いない。B氏の発言は政権基盤の弱体化を示すものであり、首相の政策は大きな変化を余儀なくされる可能性がある。ニュースの視聴者である私たちにとって、「菅義偉総理大臣の新型コロナ対策は間違っている」の発言者がA氏なのかB氏なのかは、決定的に重要なのだ。

主張、意見、感想など価値判断が含まれている発言の際に実名であることは、日常生活の様々な場面においても重要である。例えば、「女性差別なんて気にしてはいけない」という発言があったとする。日本の企業社会における女性差別と闘った末に出世した女性管理職A氏の言葉であれば、反発する人もいるだろうが、若い女性社員たちへの励ましの言葉として受け取られる可能性も残る。しかし、無能な男性管理職B氏が同じ言葉を発した場合、現実には今も存在している女性に対する差別を軽視する発言として、批判と反発を受けることが容易に想像できるだろう。

このように、ある人が語った場合には強い説得力を持つ言葉であっても、別の誰かが語った場合には説得力を失うことがある。繰り返すが、わずかでも価値判断を含む言葉は、発言者から切り離す形では意味を確定できない。したがって、私たちが視聴者として何らかの主張や意見に接する場合には、誰が発言者であるかに注目することが大切である。

一方、自らがニュースの発信者としてインターネット上で何らかの意見を表明する際にも、やはり実名であることが大切であると私は考える。ヤフーのコメント欄からアマゾンの商品レビューまで、インターネット空間に膨大な匿名コメントが溢れている現代社会において、実名発言の重要性を主張することに違和感を覚える人もいるだろう。たしかに世の中には、実名よりも匿名で発言した方が無難で安全な場合もある。勤め先の会社の不正を内部告発するケースなどは、それに当たるかもしれない。

しかし、何らかの主張や意見や感想を発する場合、やはり実名で発言することは極めて重要であると思う。評論家の内田樹（うちだたつる）氏は、インターネット空間に匿名の発言が溢れ返っている状況について、次のように述べている。

> 僕はそれはたいへん危険なことだと思います。攻撃的な言葉が標的にされた人を傷つけるからだけでなく、そのような言葉は、発信している人自身を損なうからです。だって、その人は「私が存在しなくなっても誰も困らない」ということを堂々と公言しているからです。「私は個体識別できない人間であり、いくらでも代替者がいる人間である」というのは「だから、私は存在する必要のない人間である」という結論をコロラリー（必然・筆者注）として導いてしまう。
>
> （内田樹『街場のメディア論』光文社新書、二〇一〇年）

匿名の発言は「発言に最終的に責任を取る人間がいない言葉」であり、内田氏の言葉を借りれば「誰でも言いそうな言葉」「個体識別できない」発言である。そうした無責任な匿名発言が氾濫した結果、「言葉」はどこまでも軽くなり、思考の論理は破綻し、自らの事実誤認を自覚できない者が無実の人を誹謗中傷し、インフォデミックが発生しているのである。

NHK番組への違和感

ここまで、(一) 白い鳥は白い、(二) 白い鳥は飛べる、(三) 白い鳥は美しい――という三つの言葉を例に、「事実とは何か」について考えてきた。

(一)「白い鳥は白い」のように「誰が語っても事実は一つしかない言葉」については、その発言者=情報発信者が誰であるかは問題ではない。

しかし、(二)「白い鳥は飛べる」のような言葉は、様々な統計を調べたり、先行研究に当たるなどして、真偽に関する検証が必要である。実験によって真偽を判定できる場合もあるが、社会的な事象に関しては実験がほぼ不可能である。さらに、人間の価値観や思惑の混入によって、一つの事柄を巡って複数の「事実」が乱立することもある。結局、私たちはそれぞれの「事実」の出所に注目しながら、「本当の事実」に近付いていくしかない。

そして、(三)「白鳥は美しい」のような価値判断を含む言葉では、その言葉の出所=

発言者が明示されていることが一層重要になる。発言者の社会的立場、人柄、生き様、日ごろの行いなどによって、同じ言葉であっても説得力を持ったり持たなかったり、正しかったり正しくなかったり、意味ある発言であったりなかったりするからである。

だが、ここで一つ、大きな疑問が浮かぶ。出所の明らかな「事実」を着実に積み重ねさえすれば、「現実」を読者や視聴者に的確に伝えることができるのだろうか。

再び一つの事例を基に考えてみよう。今度は仮定の話ではなく、実際にあった話である。取り上げるのは、新型コロナの感染が世界に広がり始めた二〇二〇年四月三〇日にNHK BS1で報道された「国際報道2020」という報道番組である。

番組はこの日、四一分間の放送時間のうち約一〇分を使って、新型コロナ感染拡大に直面している南アフリカ共和国（南ア）の様子について伝えた。番組は、「感染拡大が続いているにもかかわらず経済活動の再開に踏み切らざるを得ない国」の具体例として南アを取り上げ、南アのシリル・ラマポーザ大統領がロックダウンを導入したことにより、貧困層が経済的に困窮し、略奪が多発していると伝えた。

番組では、南アの最大都市ヨハネスブルクに駐在するNHKの別府正一郎支局長のナレーションとともに、大勢の住民が商店を略奪する様子や、略奪と放火の憂き目にあった小学校の映像などが放映された。番組は、略奪の多発という「事実」を並べることで、ラマポーザ大統領のロックダウンに対する不満が国民の間で強いことを描写し、「政府は経済活動の再開に踏み切らざるを得なかった」という南アの「現実」を伝える――という内容であった。

ヨハネスブルク駐在の別府支局長は、東京のスタジオのキャスターとのやり取りで、経済活動再開を求める国民の声に「南ア政府はギブアップした形」と状況を説明し、「他のアフリカの国々も同じような状況」などと報告した。そして、経済活動を再開せざるを得ないアフリカ諸国に対する国際社会の支援を訴えて締めくくった。

日本国内の多くの視聴者にとって、番組の内容は一定の説得力を持っていたように思う。南アに貧困層が多いことは多くの日本人の共通認識であり、南アの治安が悪く日本に比べて略奪の発生頻度が高いであろうことも、多くの日本人が共有しているイメージだろう。番組はそうした平均的日本人の南ア観を補強するトーンで制作されていたと言える。

しかし、ヨハネスブルクに二度にわたって住んだことがあり、仕事を通じて今も南アに接点を持っている私は番組を見て、「この番組は、新型コロナ感染拡大下にある南ア社会の現実を的確に伝えていないのではないか」という感想を抱いた。

私が違和感を覚えただけならば、それこそ個人の感想に過ぎなかっただろう。ところが、この番組の内容に対しては、南アの事情に精通している人々、とりわけ南アで長年にわたって暮らしている日本人たちから異論が相次ぐ事態となった。

放送から三日後の五月三日、二〇〇三年から南アに住んでいる吉村峰子さんという女性が自身のブログで番組内容に強い違和感を表明し、「事実誤認、途上国への蔑視、差別があまりにも露骨」とNHKを批判した。

さらに、三日後の五月六日、アフリカと日本の交流に関心を抱く人々らでつくる「アフリカ日本協議会」という市民団体が、この番組について考えるオンラインセミナーを開催し、吉村さんを含む四人が番組についての批判的な意見を表明した。四人のうち吉村さんは一七年間、一人は一九年間、さらに別の一人は二八年間南アに暮らしており、いずれも南ア社会に深く根付いた人々である。

このオンラインセミナーの議論を要約すると、南ア政府の感染対策は極めて計画的で、国民の多くは大統領の感染対策を支持しているにもかかわらず、番組では南アの対策が破綻したかのように描かれている――というものであった。私はその後、南アに駐在している日本企業の駐在員や外交官といった人々の間にも、この番組の内容に疑問を感じている人が少なからず存在することを知った。

「事実」と「現実」

この番組では、群衆が商店を破壊して商品を持ち去る様子を捉えた映像が放送される。テレビドラマの中で俳優が略奪の場面を演じることは、「やらせ」ではない。ドラマの場合、全ての場面が作り事(フィクション)であることが最初から視聴者との間で約束されているからである。一方、この番組で俳優が略奪シーンを演じていたのであれば、「やらせ」としてNHKは大変な批判を浴びるだろう。報道番組では「事実」を素材に用いることが、視聴者との約束であるからだ。ジャーナリズムは「事実」に基づかなければならない。

この番組で放映されたのは、南アで発生した本当の略奪の映像であり、「やらせ」や「捏造」ではない。番組では、校舎を破壊されてパソコンなどが盗まれた小学校の校長先生が取材に応じているが、小学校が破壊されたことも事実であり、校長先生は実在の人物である。したがって、これも「やらせ」や「捏造」ではない。NHKの番組制作者たちは、事実に基づいて番組を編集するというジャーナリズムの約束を順守している。

では、南アの実情をよく知る人々は、このようにジャーナリズムの約束を順守している番組の、どこに違和感を覚えたのだろうか。

全体で四一分間の番組の中で、南アについて放送した時間は約一〇分間であった。限られた時間枠で取り上げることのできる事実はごく一部である。このため番組制作者は、南ア社会に存在する無数の事実の中から、「商店の略奪」や「小学校の破壊」といったいくつかの事実を選んで放映した。そのうえで番組制作者は、選択したいくつかの事実に秩序と意味を与え、番組全体としてのメッセージ——南アの現実——を伝えようとしたのである。

番組に批判的な人々に概ね共通していたのは、番組で取り上げられた個別の事実（略奪の発生、学校の破壊）が「ウソ」だということではなく、事実（略奪の発生、学校の破壊）の組み合わせによって作られた番組全体のメッセージに対する違和感であった。

番組を見る限り、南ア政府の感染対策は国民の不満に直面して瓦解（がかい）したようにしか見えないが、本当にそれが南アの「現実」なのだろうか——。

番組の放送から一か月が経過した二〇二〇年六月五日、東京外国語大学現代アフリカ地域研究センターが「コロナ禍とアフリカ」と題してオンラインセミナーを開催した。セミナーには、南アの首都プレトリアに駐在する日本大使館在外公館派遣員の中村茉莉さんが参加し、様々なデータなどを示しながら、コロナ禍の南ア社会について詳しく報告した。中村さんの報告を東京の自宅で拝聴した私は、その報告から、NHKの番組が発したメッセージとかなり異なる南アの「現実」を感じ取った。

例えば中村さんは、NHKの番組の放映前の四月一三〜一八日のヨハネスブルク大学による世論調査で、ラマポーザ大統領の仕事ぶりに対する国民の支持が七三％に達していたことを紹介した。中村さんの話を聞き、世論調査結果を詳しく見たところ、大統領の仕事ぶりを評価しない国民はわずか四％しかいなかった。また、ロックダウンについては、四三％の国民が支持しており、三七％の国民がロックダウンそのものに反対しているのではなく、水準の緩和を望んでいるという結果であった。

こうした世論調査結果の存在は、「国民の不満を前に、大統領の感染対策が瓦解した」という基調で制作されたＮＨＫの番組では取り上げられなかった極めて重要な事実ではないだろうか。

また、新型コロナ感染の有無を調べるＰＣＲ検査に関する中村さんの報告も興味深いものであった。英国のオックスフォード大学などで作るデータベース「Our World in Data」によると、二〇二〇年五月三一日時点で、日本の新型コロナ感染者は一万六六八五一人であったのに対し、南アの感染者は三万九六七七人。南アの総人口は日本の半分以下なので、人口当たりの感染者は南アの方がかなり多かった。

しかし、五月三一日時点の日本のＰＣＲ検査数が二九万四三六件に過ぎなかったのに対し、南アの検査数は七二万五一二五件と、日本より四〇万件以上も多い。南アでは、病院だけでなく、防護服に身を固めた医療チームが車で住宅地を訪れ、積極的にＰＣＲ検査を実施する体制が早くから構築されていた。

番組では、南アのこうした充実したＰＣＲ検査体制についても全く紹介されなかった。だが、この「充実した検査体制の構築」という事実に着目すれば、南アの感染者の多さは、南ア政府による不十分な感染対策の結果ではなく、むしろ積極的な検査によって感染者を掘り起こした結果だという解釈もあり得るだろう。

ＮＨＫの番組は、略奪や学校の破壊といった「事実」を組み合わせることで、「感染拡大を抑えることができないまま、国民の声に押されて経済活動の再開に踏み切らざるを得なかった南ア」というメッセージを視聴者に届けようとした。

しかし、「番組が取り上げた事実＝略奪や学校の破壊」ではなく、「番組が取り上げなかった事実＝大統領に対する国民の支持やＰＣＲ検査体制の充実」に着目すると、新型コロナを巡る南アの「現実」は、番組が伝えた「現実」とは異なって見えた。南アをよく知る人々の番組への違和感の根源はそこにあった。

一九九二年の「やらせ」事件

メディアは「事実」を報じてさえいれば、視聴者に「現実」を的確に伝えることができるのだろうか――。南アのコロナ禍に関するNHK番組が提起したこの問題について論じた一人に、評論家の加藤周一（一九一九～二〇〇八）がいる。東京帝大医学部を卒業した医師でありながら、古今東西の思想、哲学、宗教、美術、文学から現代国際政治に至るまでの諸問題を日本語、英語、フランス語、ドイツ語で自在に論じ、生涯に膨大な著作を残した知識人は一九九三年二月に「事実」をめぐる優れた論考を残している。

ことの発端は、この時もNHKのドキュメンタリー番組であった。問題となったのは、一九九二年九月三〇日、一〇月一日の二夜連続で放映されたNHKスペシャル「奥ヒマラヤ　禁断の王国・ムスタン」であった。舞台となったネパールのムスタン地区は長年にわたって外国人の立ち入りが制限されてきた地区で、NHKの取材チームは一九九二年五月末から七月末にかけて同地区に入り、標高約三八〇〇メートルの厳しい自然環境下で生きる人々の生活や文化を撮影したのである。

番組は好評を博し、同年の大晦日（おおみそか）には総集編が放映されるほどであったが、年が変わった一九九三年二月三日の『朝日新聞』朝刊のスクープ記事によって事態は一変する。朝日新聞記者が番組関係者らを取材したところ、番組の様々な場面で「やらせ」や虚偽の事実を放映していたことが判明し、朝日新聞の取材に対してNHKがこれを認めたのである。番組ではムスタンの自然の過酷さを強調するために、元気なスタッフが高山病の演技をして酸素吸入したり、スタッフが斜面の岩を揺すって「流砂」と呼ばれるがれきが転げ落ちる現象を人為的に造り出していた。「やらせ」や事実と異なるナレーションは他にも多数あった。

朝日新聞の報道を受けてNHKの中村和夫放送総局長（当時）が記者会見し、実際には降雨があったのに「数か月以上雨は一滴も降っていない」と番組内で説明したことや、取材スタッフが実際にはヘリコプターで現地入りしたにもかかわらず、徒歩と車で現地入りしたように伝えたことなどを明らかにし、謝罪した。

当時大学の卒業を間近に控えていた私は、一連の顚末（てんまつ）をよく覚えている。「やらせ」は『朝日新聞』の調査報道によって発覚したが、他の新聞社やテレビ局も一斉にNHKを批判した。天下のNHKの、しかも看板番組であるNHKスペシャルにおいて、「事実」を伝えることが大前提であるにもかかわらず、「やらせ」とは何事か——。当時はインターネットが普及していなかった時代だったために、NHKには視聴者から抗議の電話が殺到した。

激しいNHK叩き(たた)の渦中で、一連の「やらせ騒動」を冷静に観察し、「本当の問題は何か」について、問題の発覚から二週間後の『朝日新聞』の二月一七日夕刊のコラム「夕陽妄語(せきようもうご)」に秀逸な論考を書いたのが加藤周一であった。

「事実」を並べて「ウソ」を語る

「つくり事を事実であるかのように示すのは、視聴者をだますことで、よろしくない……。しかし果たしてそうだろうか。事情はそう簡単ではないように私には思われる。」加藤はこの日の「夕陽妄語」でそのように書き起こし、「視聴者は、一体何にだまされたくないのか」と読者に問いかけ、問題を次のように整理して見せた。

撮影隊の一人が高山病にかかったかどうかは、個別的な事実の問題である。その事実を通して番組のいいたかったのは、おそらくネパールの自然の厳しさだろうが、ネパールの自然がほんとうにきびしいかどうかは、また別の問題である。だまされたくないのは、個別的な事実についてか、その事実の意味、さらには番組全体のいおうとした事に ついてか。そもそも「ドキュメンタリー」というもののあらかじめの約束は、そのどちらに係るのか。もし後者に係るとすれば、NHKのネパール高原番組は、必ずしも視聴者をだましたとはいえない。(加藤周一「夕陽妄語」『朝日新聞』一九九三年二月一七日夕刊)

元気なスタッフを高山病患者に仕立て上げたことは、確かに「事実」ではなく「やらせ」であった。しかし、たとえそうした「やらせ」を含んでいたとしても、番組が視聴者に伝えたかった「ネパールの自然の厳しさという現実」は読者に伝わっており、その点では番組は必ずしも視聴者をだましてはいないのではないか——。加藤はそう書いたのである。

そのうえで、自らが被写体となった米国のテレビ局PBS制作のドキュメンタリー番組での小さな「やらせ」の体験を披露した。それによると、PBSの番組には、手荷物を持って成田空港の旅客ターミナルを歩く加藤の姿を映しながら、「そうして私は米国へ出発した」というナレーションが入る場面があったが、実際には手荷物の中は空であったという。加藤は「それが「やらせ」であるとして、そのような「やらせ」を含まない「ドキュメンタリー」はほとんど存在しないだろう」と指摘した。

ここまでを読むと、加藤がテレビ局による「やらせ」を容認しているかのように思う読者がいるかもしれない。だが、加藤の論考の核心は別のところにあった。それは次の一文を読むと分かる。

> NHKのネパール高原番組は、見る人をだましました。NHKの戦時中のラディオは、大本営発表をそのまま伝えて、日本国民をだましました。そのちがいは、個別の場面またはは情報がありのままの事実であったかなかったかではなくて、ネパール高原の自然がきびしいという個別の場面の意味がおよそほんとうであるのに対し、大本営発表の全体の意味は、負けいくさを勝ちいくさといいくるめることで、真っ赤なうそであったということであろう。(加藤、同上)

一九一九年生まれの加藤にとって、二〇代のころに経験した戦争に関する大日本帝国政府の発表は「やらせ」を超えた「捏造」の典型であった。

例えば、一九四二年六月五〜七日（日本時間）のミッドウェー海戦で、米国が航空母艦（空母）一隻を失ったのに対し、日本は空母四隻を失った。戦死者数は米国の三〇七人に対し、日本側は一〇倍の三〇五七人だった。ここまでが「事実」である。そして、この海戦の「全体の意味＝現実」は日本側の大敗北である。

しかし、当時の大日本帝国政府は「米国の空母二隻が沈没、日本側は空母二隻が損傷」という「ウソ」を発表し、新聞各紙とＮＨＫラジオがそのまま報道したことで日本国民は勝利の報せ（しら）に沸き立った。つまり、この発表では、日米それぞれが失った空母の数という「事実」が捏造されているだけでなく、「現実＝報道全体が視聴者に伝えるメッセージ」までもが「日本側の大勝利」として捏造された。

加藤はＮＨＫのネパール特番と戦時中の大本営発表を対比し、本当に深刻な問題は、番組に「やらせ」を紛れ込ませて「事実」を歪める（ゆが）ことではなく、全体として視聴者に伝えたいメッセージそのものを根底から歪めてしまうこと（日本の大敗北を大勝利として描くこと）である――と訴えたのだった。逆説的な言い方をすれば、「事実」に基づいた報道は確かに大切だが、より大切なことは、「事実」に基づいて番組全体としてどのように的確に「現実」を視聴者に伝えるかだ、ということである。

加藤は一連の「やらせ騒動」が提起した問題の核心をこのように考えていたので、「夕陽妄語」の中で、「ほんとうの個別情報をならべて、番組全体のうそをつくり出すこともできる」と指摘し、二つの事例を挙げた。

一つは京都の景観について。「たとえば京都の寺の境内の美しい画面は、それぞれがほんとうである。しかしそういう画面の連続が全体としてあたえる京都の町の美的印象は、全く現実とちがう。現実はそういう寺が、何らの様式的統一もないコンクリートの建物の海のなかに点在するということである」という加藤の指摘は、京都の大学で教えている私には大変強い説得力を持つ事例というほかない。

京都に美しい神社仏閣は多数存在するが、街全体の景観はとりわけ一九八〇年代以降、目を覆うばかりの速さで破壊された。雑誌の「京都特集」やカレンダーなどで目にする美しい写真は、たしかに「事実」として存在する神社仏閣や紅葉を写したものであり、見る者に「美しい街　京都」を連想させる。だが、そうした美しい「事実」をいくら並べても、マンションの林立によって景観が壊れた京都の街全体の「現実」を伝えたことにはならないのである。

加藤が挙げたもう一つの事例は、米軍が初めて精密誘導ミサイルによる空爆を本格的に導入した一九九一年の湾岸戦争であった。この戦争では、米軍がイラクの首都バグダッドの軍事施設をレーザー誘導爆弾でピンポイント爆撃する映像をメディアに公開し、民間人の犠牲者を出さないように努めていることを大々的に喧伝した。

これについて、加藤は「レーザー爆弾がおどろくべき正確さで目標を破壊する光景は、たしかにほんとうであったろう」と述べたうえで、次のように続けた。

しかし米軍がバグダッドに投下した爆弾の何割がレーザー爆弾であったかを語らず、通常爆弾がどれほど軍事目標から外れて病院や学校や市民の住宅を破壊したかを示さなかった報道は、爆撃の真実を伝えてはいなかった。事実は数かぎりなくあり、その選び方によって、どんな話でもつくりあげることができる。（加藤、同上）

米軍が公開した空爆の映像は上空から撮影したものであり、精密誘導ミサイルが正確に軍事施設に命中する様子であった。だが、米軍が公開した、まるでテレビゲームのように正確にミサイルが命中する「事実」の映像を何時間視聴しても、人体が焼ける臭いもしないし、子供たちの泣き叫ぶ声も聞こえなかった。バグダッドの地上では、多数の通常爆弾によって、あるいは米軍機のパイロットによる精密誘導ミサイルの誤爆によって、子供を含む多数の市民が命を落としていた。それこそが戦争の「現実」であった。

選ばれる「事実」、削ぎ落される「事実」

南アの現実を知る多数の人々から番組内容に違和感が表明された二〇二〇年四月放映のNHK番組に話を戻そう。この番組に限らず、全ての報道番組の制作者たちは、多少の演出を施す場合はあるにせよ、フィクションやウソ（フェイクニュース）ではなく、「事実」の積み重ねによって、視聴者に何らかのメッセージを伝えようとしている。加藤の言葉を借りれば「事実は数かぎりなくあり、その選び方によって、どんな話でもつくりあげることができる」ので、この番組の制作者たちは、南ア社会に存在する無数の事実の中から略奪や学校の破壊といった「事実」を選び、南アの「現実」を彼らなりに伝えた。

番組によって伝えられた「現実」に対し、南アに長期在住する日本人を中心とする市民団体から批判が寄せられたことは、先述した通りである。ここで一つ大切なことを申し添えておくと、市民団体が南アの印象を損ねる略奪や学校破壊のニュースを伝えないことをＮＨＫに求めたとしても、ＮＨＫは市民団体の要求に屈してはならない。南アで商店や学校に対する略奪が多発したこと自体は「事実」である。特定の視聴者が見たい「事実」だけを見せ、見たくない「事実」を見せないのは、独立したジャーナリズムではない。ＮＨＫは今後も市民団体の批判を恐れずに、自分たちの信念に則って、伝えるべきと判断した「事実」を伝え、「事実」に基づいた「現実」を伝えなければならない。時の首相であろうと市民団体であろうと、苦情や抗議を寄せてくる個人や組織に委縮して番組を制作するようになれば、報道機関としての信用を根本的に失ってしまう。

ただし、本当に起こった「事実」を並べても、必ずしも外国の「現実」を的確に伝えたことにならないケースはある。コロナ禍に直面する南アを伝えた今回の番組は、そうしたケースに該当する可能性があると私は考える。

番組制作の過程で選ばれた「事実」が伝える「現実」と、削ぎ落された「事実」が示す「現実」は、場合によっては大きく異なり、どちらかが「本当の現実」に近い場合もあるし、どちらも「本当の現実」とはかけ離れている場合もあるだろう。したがって、視聴者は番組では取り上げられなかった「事実」を探し出し、その「事実」を基に、番組では描かれなかった別の「現実」を構想してみることが、時には大切だろう。今回のケースでは、その重要性を痛感させられた。

「事実」について考察した「夕陽妄語」を加藤は次のように締めくくっている。


TVの報道番組やその解説や「ドキュメンタリー」に不偏不党、中立の、客観的な真理があるわけではない。それもまた多くのあり得る真理のなかの一つであり、そのかぎりでは視聴者の各人が信ずる真理と同等であって、それ以上でもそれ以下でもないだろう。視聴者は賛成もするし、反対もする。その賛成か反対か、をはっきりさせることの方が、番組の部分の演出がどこまで「やらせ」かということを心配するよりも、はるかに重要だろうと私は考える。個別的な事実のみに注意を集中しているかぎり、「マス・メディア」の世論操作に対して、われわれは受け手の立場を免れることができない。要点は、部分の「やらせ」ではなくて、全体の「偏向」である。（加藤、同上）

ジャーナリズムは「事実」に基づかなければならず、「やらせ」はご法度であり、ましてや「捏造」や「フェイクニュース（虚偽情報）」を「事実」として報道することは許されない。そのことを前提としたうえで、さらに大切なことは、個別の「事実」を組み合わせて描かれた「全体として言いたいこと」がどのような方向を向いており、「現実」を可能な限り的確に伝えているか、であるだろう。

一人の個人が見聞する情報は無限にある。果たしてその無限の事実の中から、何を伝えるべきなのか。その決定には、個々の事実の正確な記述はもちろんのこと、優れた見識や洞察力に裏打ちされた着眼点が要求される。そして、その着眼点を決めるのは、どのような事実が人間にとって大切な意味を持つのかを判断する個々のジャーナリストの良心であり、マニュアル化できるものではないのである。

第四章　ニュースの作られ方

報道されること、報道されないこと

人は生きるために、常に新しい情報を必要とし、新しい情報は「ニュース」と呼ばれる。本書の第二章では、ニュースをそのように定義した。私たちの人生はニュースで溢れており、「職場の同僚のAさんとBさんが結婚する」という話も、「Cさんの息子が一流大学に合格した」という話も、誰かにとってのニュースだろう。

しかし、こうした私たちの日常生活におけるニュースが、マスメディアによって報道されることはない。著名なプロ野球選手Aと人気の女性アナウンサーBの結婚は報道されるが、サラリーマンの同僚CとDの結婚は、当人やその周辺の人々にとっては大ニュースであっても、普通は報道されない。

あるいは、現実には次のようなことも起きている。米国の街で十数人が殺害される銃乱射事件が起きると、日本のマスメディアは米国駐在の記者を現場に派遣し、容疑者に関する情報を集めたり、悲しみに打ちひしがれている街の人々の声を取材して報道している。

ところが、アフリカ大陸中央部に位置するコンゴ民主共和国の北東部の村が武装集団に襲撃され、幼い子供を含む一〇〇人以上の村人が銃殺されても、新聞の国際面の片隅に小さな記事が掲載されればよい方であり、まったく報道されないことも少なくない。

結婚は誰にとっても幸せな出来事だろうが、あるカップルの結婚は報道されるのに、別のカップルの結婚は報道されない。あるいは、多数の市民が殺害された場合、ある国の出来事であれば報道されるのに、別の国の出来事であると報道されない。

一体、マスメディアは、どのようにしてニュースを選んでいるのだろうか。無限に近い森羅万象の事実（出来事）の中から、マスメディアがニュースを選ぶ際の基準は何だろうか。マスメディアによるニュースの基準や選び方に、何か問題はないのだろうか。

本章では、マスメディアによってニュースがどのように作られているかについて説明しながら、マスメディア発の情報を評価するためのポイントを提示していきたい。

新聞制作の流れ

この世に無数に存在する出来事の中から、マスメディアはどのようにして「ニュース」を選びだしているのだろうか。この問題を考えるために、今からマスメディアの仕事の具体的な流れを簡単に説明したい。この流れが頭に入っていないと、記者や編集者がどのようにニュースを取捨選択しているかが分からないからである。以下、私が一九九五〜二〇一四年まで勤めていた毎日新聞社における新聞制作のプロセスを例に挙げて説明したい。

毎日新聞社には記者で構成される編集局、新聞販売に責任を持つ販売局、企業などから広告の掲載を請け負ってくる広告局、スポーツイベントやコンサートや展覧会を開催する事業本部――などの組織が存在する。森羅万象の無数の事実の中から何を報道するかを決めるのは編集局である。

毎日午後三時ごろになると、翌朝配達する朝刊の編集が本格的に始まる。この午後三時ごろまでに、編集局傘下の政治部、経済部、社会部、運動部、科学環境部、学芸部などの記者は本社デスクまたは記者クラブのリーダーであるキャップに、私が所属していた外信部の海外特派員は東京本社の外信デスクに、日本国内の地方記者は地方支局デスクに「自分は本日、こういう原稿を書いて出したい」という出稿計画を提出する。記者は所属している官庁や警察の記者クラブでの会見や発表資料などを基に原稿を書く場合もあるし、自分が独自に取材してきた事柄について書く場合もある。

現場記者及びキャップからの出稿計画を受けた各部デスクはこれらを整理し、午後五時半からの編集会議に出席して、自分の部から出稿したい原稿をまとめて提起する。デスクとは、本社の各部副部長と地方支局次長のことを指す業界用語であり、現場の記者から出てくる原稿のリライトや取材の陣頭指揮に立つ要職である。

この午後五時半からの会議には、その日の朝刊編集責任者の編集局次長、各部デスク、そして紙面づくりを担当する整理部のデスクたちが出席する。編集局次長とは、編集局トップの編集局長の下で働く数人の局幹部であり、ローテーションで毎日、朝刊の編集責任者を務めている。また、整理部とは、記者が書いた原稿に見出しを付け、新聞の各ページにニュースを配置して紙面をつくる人々である。

編集会議では、どのニュースを一面トップに載せるか、社会面トップ記事を何にするか、国際面にはどの国のニュースを載せるか——といったニュースの取捨選択と「記事の扱いの優先順位」を決める。そして、ここから、翌日午前一時半ごろまで朝刊の紙面づくりがおよそ八時間にわたって続くことになる。

ニュースによっては編集作業中に事態が動くので、現場の記者からは新たな情報が電話で続々とデスクに報告される。デスクはそのたびに現場記者に原稿を一から書き直すよう命じたり、自分で加筆修正したりしながら、出来上がった原稿を次々と整理部に出稿していく。また、夜間に大きな事件や事故が発生したり、時差のある海外から突発的なニュースが飛び込んできた場合には、午後五時半の会議で決めた紙面構成を根本から変えることもある。

二〇〇一年九月一一日に発生した国際テロ組織アルカーイダによる米国同時多発テロ事件は、朝刊編集作業の途中に紙面構成が根本から変わった典型例である。二機の旅客機がニューヨークの世界貿易センタービルに突入したのは、日本時間午後九時四六分と午後一〇時三分であった。毎日新聞のような全国紙では、東北北部や九州南部などに配達する「統合版」という締め切りの早い新聞の制作がほぼ終わっており、この統合版にはテロのニュースがほとんど掲載されないか、全く掲載されなかった。そこで午後一〇時過ぎからの二度目の編集会議で紙面構成を全面的に見直し、その後の版から紙面はテロのニュース一色になったのである。

ここまで朝刊編集の流れを概説したが、新聞社によっては朝刊だけでなく夕刊を発行していたり、夕刊しか発行していない新聞社も存在する。夕刊の取材は早朝から始まり、編集作業は午前九時ごろから本格化し、午後一時半ごろまでおよそ四時間半ほど続く。朝刊に比べると夕刊はページ数が少なく、掲載するニュースの数も非常に少ないので、記事の執筆と編集に携わる人の数も少ないが、作業の流れは朝刊と基本的に同じである。ここまで私が勤めていた毎日新聞社を例に挙げて新聞制作の流れを説明してきたが、若干の違いはあるにせよ、新聞社はどこも似たようなプロセスで新聞を制作している。

ニュース感覚

以上、新聞制作の具体的な流れについて説明してきたが、一連の流れの中に、どのニュースを報じるべきかを決める瞬間が三度あったことに気付いていただけただろうか。

一度目は現場の記者たちが「自分は本日、こういう原稿を書いて出したい」という出稿計画をキャップまたはデスクに提出する時だ。この段階では、どのような事実を記事化し、どのような事実を記事化しないかは、究極的には記者一人一人の判断にかかっている。

二度目は現場の記者から出稿計画を受け取った編集局各部のデスクが、部としての出稿計画を取りまとめる時である。この段階では、その日の当番デスクがどのような事実をニュースとして報じるかを決める。各部の責任者である部長（政治部長、社会部長、外信部長など）がデスクに指示する場合もある。

三度目は編集会議の場である。各部のデスクが持ち寄ったニュースについて会議出席者たちが議論し、何を一面トップにするか、一面の二番手の記事はどれにするか、といったことを決めていく。通常はその日の朝刊編集責任者である編集局次長が決定するが、重大なニュースがある時には最高責任者の編集局長が乗り出してくることもある。

この三つの段階で、数ある事実の中から何をニュースとして伝えるのかを決める際の基準は、現場の記者と編集者（デスク、部長、編集局次長、編集局長）の「ニュース感覚」である。新聞社には、何をニュースとするかについての基準文書やマニュアルは存在せず、ニュースの取捨選択は基本的に、編集局で働く人間たちの「ニュース感覚」で決まっている。数百万の発行部数を誇る巨大な全国紙であろうと、地方の小さな新聞社であろうと、業界紙や専門誌であろうと事情は変わらない。もっと言えば、少なくとも言論・報道の自由が保障されている国々の新聞社であれば、外国の新聞社であっても事情は同じだろう。

　人間の「ニュース感覚」を基準にニュースの取捨選択が行われていることについて、長野県の地元紙である信濃毎日新聞社の編集局長を務めた猪股征一（いのまたせいいち）氏は、著書『増補　実践的　新聞ジャーナリズム入門』の中で次のように記している。

> 　新聞のニュース面にどのような記事を盛り込むか、1面をどう作りどの順に記事を配置するか、つまり幾多の記事がある中で、ニュースとしてどれを取捨選択するか、ニュースバリューをどうつけるかは、「組織的に」決められる。
> 「組織的に」決められるのだが、どう順序づけるかについての内規があったり基準

集があったりするわけではない。編集者たちの「感覚」で決まる。議論が割れたときは編集局長が決する。

ニュースバリューは編集者たちの「感覚」で決まるということは、記者が何がニュースか判断して記事にしたり、ニュースを発掘すべく取材したりする時もまた、ニュースバリューの基準集があるわけでなくて記者の「感覚」が頼りというわけだ。

（中略）

「何がニュースか」を決める編集者や記者の感度、これを「ニュース感覚」と呼ぶ。この「ニュース感覚」が、編集者、一般的にはデスクだが、デスクやキャップから記者へ、先輩記者から後輩記者へ、しかも個別のケースを通じて伝えられる構造がある。この構造が、新聞社に、記者教育は「現場」を背景とした仕事を通してしかできないと考えさせがちで、大学をはじめ教育での記者教育には現状では首を傾げてしまう理由と言えよう。

（猪股征一『増補　実践的　新聞ジャーナリズム入門』信濃毎日新聞社、二〇一六年）

ニュースバリューを決めるもの

新聞の取材と記事執筆が基本的に現場の記者一人に任されるのに対し、テレビの場合は記者に加えてカメラマンの存在が決定的に重要であり、現場レポートの場合は中継車を運用する技術者も必要とされるなど、チームでの仕事が要求される。そのうえ、テレビは新聞に比べると、取り上げることのできるニュースの本数そのものが少ない。つまり、テレビ局が一つのニュースを取材するのに必要とするコストは、活字メディアのそれとは比べ物にならないほど高い。このためテレビ局は新聞社に比べると、現場の記者よりも、本社の編集者（デスク、部長、局長など）によってニュースが取捨選択される傾向が強い。

しかし、テレビの仕事においても、記者と編集者の「ニュース感覚」に依拠している点は新聞社と変わらない。そして猪股氏の著書にあるように、新聞社にもテレビ局にも、ニュース感覚を養うための研修や例規集が存在しているわけではない。上司から部下へ、ベテラン記者から若手記者へ、現場の先輩記者から新人記者へ、日々の仕事を通してニュース感覚が時間をかけて継承されている。そういう意味では、マスメディアの仕事はマニュアル化や規格化が困難であり、個人の経験と勘に頼る職人の世界に似ているところもある。

では、そうした記者や編集者の「ニュース感覚」を分解していくとどうなるのだろうか。どのような要素がその「ニュース感覚」を支えているのだろうか。換言すれば、記者や編集者はこの世の無数の出来事の中からニュースを選び出す際に、どのような出来事にニュースバリュー（報道する価値）を見出しているのだろうか。

当のメディアで働く者自身は、そうしたニュース感覚の構成要素を言葉で説明できるほど明瞭に意識しながら日々の仕事に取り組んでいるわけではない。記者や編集者のニュース感覚を科学的視点で分析し、明瞭な説明を試みてきたのは、学問の世界に生きるメディア研究者たちである。これまで古今東西の多くの研究者が、ニュースバリューについて様々な説明を試みてきた。ここでは二つの説を紹介しておこう。

米国の研究者であるパメラ・J・シューメーカー（Pamela J. Shoemaker）とステファン・D・リーズ（Stephen D. Reese）は一九九一年に発表した著作で、メディアの編集者がニュース価値を判断する際の要素として、（一）突発性・重要性、（二）人に対する興味（人間ドラマ）、（三）対立や紛争・論争、（四）異常性、（五）タイムリー、（六）近接性――の六つを挙げている。

また、同じく米国の研究者であるリン・M・ゾッチ（Lynn M. Zoch）とダスティン・W・スパ（Dustin W. Supa）は二〇一四年に発表した著作で、（一）ローカルさ、（二）タイムリーさ、（三）即時性、（四）有名性、（五）文化的近似、（六）人間に対する興味、（七）意外性、（八）重大性――という八つの要素を挙げている。

これらの学説を踏まえると、本章の冒頭で、「米国での銃乱射事件については大きく報道しても、アフリカのコンゴ民主共和国の村で一〇〇人以上が武装集団に銃殺された事件については報道しない」という事例は、パメラとステファンの「六つの要素」のうち、「（六）近接性」が判断に際して強く働いた結果と解釈することができる。

銃の乱射や武装集団の虐殺は、「六つの要素」のうち、（一）突発性・重要性、（二）人に対する興味（人間ドラマ）、（三）対立や紛争・論争、（四）異常性、（五）タイムリー――の五つを満たす出来事であり、その発生場所が米国であろうとコンゴであろうと、ニュースとして成立する条件をクリアしている。

しかし、(六) 近接性において、米国とコンゴは対極にある。幕末のペリー来航を機に鎖国を解いて以来、日本人にとって米国は、ある時期は敵国であり、戦後は庇護者(ひごしゃ)であり同盟国である。日本人にとって、米国が身近な国であることは疑いない。一方、歴史的に極めて関係の希薄だったアフリカのコンゴは、日本人にとって全く身近な国ではない。

こうして、読者や視聴者、さらにはニュースを発信しているマスメディアの編集者自身にとっての米国の「身近さ」は、米国での銃乱射事件に高いニュース価値を与えることになる。その逆に、全く「身近さ」を感じないコンゴでの出来事の優先順位は低く、新聞の限られた紙面スペース(テレビの場合は限られた放送枠)から脱落するのである。

ジャーナリストの使命感

記者や編集者の「ニュース感覚」について、もう少し考えてみよう。先ほど私は、メディアで働く者は、自分の頭の中のニュースバリューを言葉で説明できるほど明瞭に意識しながら日々の仕事に取り組んでいるわけではない、と書いた。米国のメディア研究者たちが列挙した六つないし八つの要素を、一つ一つ頭の中に思い浮かべながらニュースの取捨選択をしている記者や編集者はいないだろう。次から次へと情報が入ってくる新聞社やテレビ局の仕事は、そんなにヒマではないのだ。

しかし、記者や編集者が日々の仕事において、諸々の出来事の中から「ニュースとして報道しようと思う出来事」と「ニュースではないと思う出来事」を仕分けする際に、暗黙裡（あんもくり）に働かせている基準のようなものは、確かに存在している。

ここで再び猪股氏にご登場いただく。記者や編集者がニュースを取捨選択する際の基準について、同氏は次のように言う。「地方紙の雄」と称される信濃毎日新聞の最高幹部を務めた人の率直な言葉として、私はその内容に共感する。

> 結論を先に言うと、大きな基準が二つある。「読者の関心」と「報道機関の関心」だ。「読者の関心」は正確には報道機関が読者はこういうことに関心を持つだろうと、斟酌（しんしゃく）していることなので、正確には「報道機関が考えている読者の関心」だ。「報道機関の関心」は、読者が関心を持っているかどうかに関係なく、報道機

関がこれは報道すべき、報道したいという関心だ。（中略）この二つの基準によって、
あるいは二つの基準の相克の結果、ニュースが決められている。（猪股、同上）

私事で恐縮だが、私は毎日新聞社で一九年間記者として働き、総合商社の三井物産の調査部門である三井物産戦略研究所で四年間勤務した後、母校の教授に就任した。「ジャーナリズムの世界」→「ビジネスの世界」→「アカデミズムの世界」と働く世界を変えながら転職し、それぞれの世界の人々と出会う中で、いくつもの興味深い傾向を発見した。その一つは、働く世界によって大きく異なる「カネ」に対する感覚である。

「ビジネスの世界」で出会った人々は、当然ながら利潤を最大化することに全精力を注いでおり、自社の経済的利益をきちんと確保しながら、社会や日本や世界に貢献していこうと奮闘している。私生活においては、自身の月給や年収がいくらであるかを正確に把握し、若い頃から株や投資信託の運用を通じて資産形成し、中年以降は退職金や年金額の計算に余念がない人が少なくなかった。

本書の読者のうち「ビジネスの世界」で働いている人は、「そんなこと当たり前では

ないか」と思うかもしれない。だが、三つの世界に身を置いた私に言わせれば、「ジャーナリズムの世界」の人々は少々異なる。

新聞社では、定年まであと数年の五〇代で役員にでもならない限り、自社の年間売上高はいくらか、黒字や赤字の額がどの程度なのか、まったく分かっていない記者や編集者が多い。そうした事を明確に把握しているのは「ビジネスの世界」に生きている販売局や広告局の社員であり、編集局の社員ではない。新聞社、テレビ局ともに近年は経営が厳しくなり、以前に比べれば自社の経営状態に関心を持つ記者が増えつつあるが、マスメディアの現場の大勢は、カネとは無縁のマインドを持って仕事しているのである。

だから私生活では、自分の給与明細書をほとんど見たことがなく、自分の月給から所得税がいくら源泉徴収されているかを知らず、銀行の普通預金以外に資産がなく、株や投資信託の買い方もよく分からない——。私の知る限り、そんな記者や編集者が少なくない。

このように書いている私もそうだった。毎日新聞社の給与の安さに文句を言ってはいたが、猪股氏の言う「報道機関が考えている読者の関心」と「報道機関の関心」という二つの基準を軸にニュースを探すことでいつも頭がいっぱいで、カネは二の次、三の次。どこかに特ダネはないか、ジャーナリズムとして伝えるべきニュースは何か、といったことばかりを考えながらひたすら取材し、記事を書いていた。

教授として大学生の就職の相談に乗るようになると、仕事をしていく上でのマインドの違いが就職以前から存在することを痛感する。仕事を選ぶに当たって何を優先するかは人それぞれであり、何かが正しく、何かが間違っているわけではない。大学には「親に苦労をかけたので、年収の高い企業に入って恩返ししたい」「日本社会はこの先、どうなるか分からないので、失業リスクの低い安定した仕事に就きたい」「若いうちにスキルアップできそうな業界で働きたい」「皆が羨むような有名企業に入ってモテたい」という学生が大勢いる。

だが、ジャーナリズムの世界で働くことを志す学生に、そういうタイプはほとんどいない。深い思慮も覚悟もなく民放キー局の「女子アナ」の華やかさに目を奪われているだけの学生もゼロではないが、多くの学生は「ペンの力で社会を良くしたい」「報道を通じて弱者の力になりたい」などと考えている。

そして、いざマスメディアで記者や編集者として働き始めると、学生時代のこうしたマインドの延長線上に、「この事実は人々に知らさなければならない」「この出来事は伝える必要がある」というジャーナリストとしての使命感が醸成されていく。

「ジャーナリズムの世界」の外にいる人には何やら青臭く見える話だろうが、本書の第二章の69ページで紹介した“The Elements of Journalism”（邦題『ジャーナリズムの原則』）に盛り込まれた「真実に責任を負う」「市民に忠実である」「権力の監視役である」といったジャーナリズムの九原則を思い出して欲しい。この書物は、米国の二人のベテランジャーナリストが三〇〇人を超える現職ジャーナリストにインタビューして執筆したものだが、そこから導き出された九原則をみれば分かるように、ジャーナリズムの世界の住人の多くは、経済的利潤とは一線を画した使命感に突き動かされながら、この世に数多（あまた）ある出来事の中からニュースを探し出すことに誇りと喜びを感じているのである。

報道機関の事情

ここまで本章を読み進めてきた読者の中には、本章の内容に深い疑念を抱いている人がいるに違いない。ジャーナリズムの世界の連中は使命感を胸に働いているなどと立派なことを抜かしているが、高邁な理想を言い募っている割には、その堕落ぶりたるやひどいものだ。現実はまさに「マスゴミ」の呼称が相応しいではないか——と。

まったくその通り、というほかない。私はここまで、ジャーナリズムやマスメディアの「原則」に力点を置きながら書き綴ってきたが、どのような世界にも、「原則」通りではない「現実」が存在する。

現実のマスメディアの世界に存在するのは、「読者（視聴者）の関心」と「報道機関の関心」という二つの基準だけではない。読者・視聴者のためでもなければ、報道機関としての使命感に突き動かされたものでもない、「第三の力」とでもいうべきものが現実のニュース報道には強く働いており、それが時に報道の質を大きく歪めている現実は否定しようがないと、私は思う。

「読者（視聴者）の関心」と「報道機関の関心」という二つの基準とは別に、マスメディアが「何がニュースか」を決める際に働いている「第三の力」。猪股氏はそれを「報道機関の事情」という言葉で説明している。

この「報道機関の事情」には様々なものがあり、その全てを本書で網羅するのは不可能というほかない。しかし、好むと好まざるとにかかわらず、現代を生きる私たちがマスメディアの情報から生涯無縁であり続けることは、事実上不可能である。そうした現実を踏まえれば、私たちは、その「報道機関の事情」の下でニュースがどのようにして生み出されているかを知り、マスメディア発の情報を評価する際の手がかりを増やしていく必要があるだろう。そこでここからは、私の記者としての経験を踏まえながら「報道機関の事情」について詳述し、マスメディアの情報を評価するのに必要な具体的視点を提示していきたい。

情報の発出頻度と情報量

私はここまで「マスメディア」と一括り（ひとくくり）にして話を進めてきたが、マスメディアには新聞、週刊誌、月刊誌、単行本、テレビ、ラジオ、インターネットの情報サイト・チャンネル――などがあり、それぞれが共通する特質を有していたり、独自の性格を有していたりする。マスメディアが伝える情報について論じる時には、少なくとも次の二つの点を踏まえて議論を展開することが重要である。そうすることによって、各メディア別の「報道機関の事情」がクリアに見えてくるからである。

第一に、読者や視聴者に対して、どれくらいの頻度で情報を発しているかという発行・放送サイクル――情報発出頻度――に留意する必要がある。テレビとラジオの場合、局によって異なるものの、三～五分のスポットニュースも含めればほぼ一時間おきにニュースを放送しているし、大きな事件や事故が発生すれば、ニュース速報や臨時ニュースも流す。また、新聞は長年、朝夕刊を発行することで一日に二度のペースでニュースを伝えてきたが、近年は記事をインターネットで配信するようになり、二～三時間に一度のペースでニュースが更新されるようになっている。週刊誌の発行頻度は週一度、月刊誌は月一度、単行本は不定期。インターネットの情報サイトやチャンネルは、媒体によって様々というほかない。

第二に、メディアによって異なる情報発出量に留意する必要がある。日本語のテレビの場合、アナウンサーは一般的に一分間に三〇〇字前後のスピードでニュースを読み上げている。午前七時と午後九時のＮＨＫニュースであれば、トップニュースに割かれる時間は三～五分。その間、アナウンサーがずっと原稿を読んでいるのではなく、関連映像も放映される。トップニュースであっても、報道される情報量は数百字分ということだ。

新聞の場合、一九八〇年代までは一行に一五文字で印刷されていたが、読者の高齢化に対応して活字を大きくした結果、現在は多くの新聞が一行一一～一二文字で印刷している。一面のトップニュースの場合、短い記事だと八〇行程度、長い記事でも一五〇行くらいだ。したがって一面トップニュースであっても情報量は八〇〇字から一五〇〇字程度、四〇〇字詰め原稿用紙に換算して二～四枚に過ぎない。

一方、月刊誌の記事であれば、短くても最低五〇〇〇字（四〇〇字詰原稿用紙換算で一二枚以上）、長いと二万～三万字（同五〇～七五枚）にもなる。単行本になれば、新書でも最低八万字、ハードカバー本になれば最低でも一二万字程度は必要だ。

メディアの特質を知る

なぜ、各メディアの情報発出頻度と情報発出量に留意する必要があるのか。それは、この二点が異なれば、メディアによって発出される情報の質にも違いが生じるからだ。

テレビのように一日に何度もニュース番組を放送し、しかも一つの出来事について報道できる情報量が数百字程度でしかないメディアは、取材と編集の過程で情報の吟味がどうしても甘くなる。伝えられるニュースの厚みや深さが活字メディアに比べて劣ることは、テレビの宿命と言わざるを得ない。他方、テレビは速報性の点で圧倒的に優れたメディアである。大地震による津波の危険がある時、瞬時に広範な人々にその危機を知らせることができるメディアは、活字メディアではなくテレビである。

一日二度の発行サイクルを維持してきた新聞は、テレビに比べると取材と編集に使える時間が長く、一度に伝えることができる情報量も多い。このため新聞はテレビよりも出来事の詳細を伝えることが可能であり、編集過程でニュースを吟味することもできる。

しかし、その新聞が伝える情報も、週刊誌や月刊誌に比べれば厚みにかけ、物事の多面性や複雑な内幕を伝えるという点では劣る。新聞記者が取材と原稿執筆にかけることができる時間は、一日のうち最大数時間に過ぎず、新聞社は自転車操業のように毎日、ひたすら新聞を発行し続けなければならない。

その結果、新聞社は紙面を埋めていくことで精一杯になりがちであり、ニュースを効率よく集めるために、官庁や大企業の発表情報に依拠した報道の割合が増えてしまうのである。日々の放送枠を埋めていくことに必死なテレビ局にも、同様の傾向がある。

これに対し、週刊誌記者は一つの出来事について数日間、月刊誌記者は一か月近い時間をかけて取材することが可能である。雑誌ジャーナリズムがテレビ・新聞に比べて反権力の姿勢を貫きやすいのは、雑誌は速報を要求されていないので、官庁や大企業の発表情報に依存する必要性が低いからである。「文春砲」と呼ばれる独自取材に基づくスクープを連発している『週刊文春』は、テレビ・新聞に比べて取材時間の長い週刊誌の強みを生かし、官庁や大企業の発表に依拠しない紙面づくりを成功させている好例だろう。

ただし、雑誌メディアにも弱点がある。若者のテレビ離れが進み、新聞の購読者が減っても、テレビ、新聞という二大メディアが消えてなくなることは当面ないだろう。テレビと新聞は、国民の命や暮らしにかかわる出来事の発生を知らせる生活必需品としての性格が強く、社会の情報インフラの地位を占めているからである。

一方、速報性を有しない雑誌メディアは生活必需品としての性格が弱く、情報インフラとしての地位にはない。このため雑誌メディアは経営難に陥りやすく、テレビ・新聞に比べて購読者の確保に必死だ。その結果、読者の関心を惹くための事実の誇張や歪曲、大衆の感情を煽り立てるセンセーショナリズム（扇情主義）への傾倒、個人のプライバシー侵害につながるスキャンダル報道——といった問題を引き起こしやすい。

メディアとの賢い付き合い方

このように各メディアの特質を理解すると、読者・視聴者としてのメディアの賢明な利用の仕方が見えてくる。賢明な情報ユーザーは、まずはテレビや新聞のインターネット版で短いストレートニュースを視聴し、ある出来事の発生を知る。次に新聞で出来事の詳細を深く知り、その後、週刊誌で出来事の背景や内幕を読む。それでも飽き足らない人は月刊誌、さらには単行本へと進み、問題への理解を深めていく。

他方、こうした各メディアの特質を理解していない人は、効率的に情報を集めることができないだけでなく、しばしばピントのズレた「マスゴミ批判」に夢中になってしまう。近年発達したインターネットのコメント機能は、残念ながらそうした人々がこの世に一定程度存在する現実を教えてくれる。

二〇二〇年一二月、立憲民主党所属の参議院議員である羽田雄一郎氏が新型コロナウイルス感染症で急逝した際に、そうした現実の一端を垣間見た。

搬送先の病院で羽田氏の死亡が確認されたのは一二月二七日午後四時三四分。テレビ各局はその日の夜のニュースから死去の事実を報道し始めたが、この段階では東京都監察医務院の検視が終わっておらず、死因が確定していないため、テレビニュースは死因に言及しなかった。検視結果が確定したのは翌一二月二八日で、立憲民主党が新型コロナ感染症であったことを発表したのを受け、テレビ各局は死因を報道した。

しかし、急逝直後の二七日夜の段階でテレビ各局が死去の第一報を報道し始めると、ユーチューブのコメント欄やツイッターに早速、「なぜ、死因を隠すのか」「新型コロナであるとの事実を隠蔽している」などといった書き込みがちらほらと出始めた。

五三歳の現職国会議員が急逝した事実について、死因確定まで報道を控えることなどできるわけがないし、すべきでもない。したがって、死因が科学的に特定されていない段階で死去の事実を速報しようとすれば、第一報の段階では死因について留保し、判明した段階で改めて報道する以外にない。それが「事実」の取り扱い方の基本であり、速報を優先するテレビというメディアの特質である。

私たちに必要なことは、何でも性急に結論を求めて流行（はや）りの「マスゴミ批判」に飛びつくことではなく、各メディアの特質を理解した上で、マスメディアのニュース報道に潜む本当の問題は何かを鋭く突いていくことである。

「絵になる」と「絵にならない」

マスメディアを「活字メディア」と「映像メディア」に分け、それぞれの特質を考えていくと、さらに見えてくるものがある。

まず、映像メディアによるニュース報道が抱えている問題点について考えてみよう。

映像メディアの王様であるテレビには、先述した速報性という特質とは別に、もう一つの大きな特質がある。「百聞は一見に如（し）かず」という言葉に象徴される映像の圧倒的な衝撃力、視聴者への訴求力である。活字メディアの新聞や雑誌は、この点においてテレビの足元にも及ばない。新聞記者が何千字も費やして活字で状況を描写しても、わずか数秒の映像が人々に与えるインパクトに逆立ちしても勝てないケースはいくらでもある。

テレビはそうした特質ゆえに、活字メディアとは全く異なる判断基準でニュースを報じたり、報じなかったりすることがある。テレビの業界用語で「絵になる」場合には、たいした事件や事故でなくても優先的に報道する。反対に「絵にならない」と判断した事柄については、本当は非常に大切な事柄であっても報道しない。テレビニュースの制作現場では、そういうことがしばしば起きているのである。

例えば、民放のニュースを視聴していると、「今日午前、東京都内で乗用車が道路わきの電柱に衝突して炎上する事故がありました。スクープ映像です」などというアナウンサーの声とともに、乗用車が燃えている様子が放映されることがある。「スクープ映像」などというので、何事かと思って視ていると、アナウンサーが「運転していた男性は車が炎上する前に逃げ、この事故のけが人はありませんでした」と言うのを聞き、「一体、スクープと銘打って報道するほどのことだったのか」と拍子抜けしてしまう。

その日、テレビ局のカメラマンがたまたま別の取材現場に行った帰路に事故現場を通りかかり、乗用車が派手に燃えていたので念のため映像を撮影した。その日は「絵になる」ニュースが少なく、視聴率を気にするデスクや部長たちが頭を抱えていたところ、カメラマンが車が派手に燃える映像を持ち帰ってくれたので、これは「絵になる」と喜び、カメラマンへの「おつかれさま」の意味を込めてニュース枠に押し込んだ――。この類いのニュースの舞台裏は大方そんなところだ。

「車が炎上する様子を放映することで、事故の恐ろしさを視聴者に知らしめる社会的意義がある」と強弁することもできなくはない。だが、警察庁の統計によれば、新型コロナの感染拡大で人の外出が大幅に減った二〇二〇年でさえも、一年間に全国で三〇万九〇〇〇件の交通事故が発生し、二八三九人が亡くなっている。テレビがそれら全ての交通事故を報道したわけではなく、そもそも全ての事故を報道することなど物理的に不可能である。

そうした中、けが人すら出ていない乗用車単独の自損事故の映像を「スクープ」と銘打って放映するのは、「報道機関として何を伝えるべきか」という使命感に基づいたニュース選択ではなく、たまたま「絵になる」映像が転がり込んできたという「テレビ局の事情」でしかないだろう。

「論理」より「気分」

こうしたテレビニュースの舞台裏を知った視聴者が、テレビを嘲笑することは容易い。しかし問題は、テレビ映像の特性である「衝撃力の強さ」に、視聴者が知らず知らずのうちに踊らされ、印象操作されていることである。

一般に人間は、メディアが報道するニュースの中身に注目するのであって、自分が見ているメディアの特性についてはほとんど意識していない。テレビでニュース番組を視聴する時には、放映されている内容こそが視聴者の関心の対象であり、テレビがどのように視聴者にニュースを見せるメディアなのかについて、いちいち注意を払いながら画面を視ている人はほとんどいないだろう。

しかし実際には、乗用車が炎上した負傷者なしの自損単独事故の報道が示すように、活字メディアでは全く顧みられない話であっても、テレビではニュースになってしまうことがあるのだ。なぜならニュースの舞台裏を知ってテレビ局を嘲笑する人であっても、何気なくつけていたテレビの画面に激しく炎上する車の映像が流れれば、そのニュースにどのような社会的意義があるかなどということを考える間もなく、ついつい映像に引き込まれてしまうからである。テレビニュースの編集者が「絵になる」ニュースを優先するのは、人間のそういう習性を知っているからであり、「絵になる」ニュースは視聴率を上げ、「絵にならない」ニュースは視聴率につながらないことを熟知しているからだろう。

視覚を通して入ってくる強い刺激や印象は、しばしば論理的な思考に優越する。テレビというメディアは、人間のそうした習性に働きかけてくるものなので、結果的にテレビの視聴者は冷静な議論や論理的思考よりも、知らず知らずのうちに印象や気分で物事を判断してしまうことになりがちである。そして、印象や気分で物事を直感的に判断する視聴者が増えると、冷静な議論や熟慮とは無縁な形で世論が形成され、その世論が国政を左右する事態が起きる。

テレポリティクス

視聴者の感情がテレビ映像に知らず知らずのうちに操作され、それが世論形成にまでつながってしまうことが注目されるようになったきっかけは、一九六〇年の米国の大統領選挙に関するテレビ報道であった。

一九五三年から二期八年続いた共和党のアイゼンハワー政権が終わるに当たり、一九六〇年の大統領選挙は、アイゼンハワー政権の副大統領だった共和党のリチャード・ニクソンと、マサチューセッツ州選出の民主党の上院議員ジョン・F・ケネディの戦いとなった。

米国の大統領選挙は今日でも、投票前に候補者同士の討論会（ディベート）が実施されるが、一九六〇年の大統領選では四度の討論会が開かれ、九月二六日の第一回討論会は、史上初めて全米にテレビ中継された討論会となった。

討論会のほぼ一か月前にニクソンは膝を負傷して入院し、第一回討論会は病み上がりの状態での登場であったが、副大統領として政策に精通していたニクソンは正確な物言いで討論を乗り切り、ラジオを聴いていた人々の多くは、討論でニクソンが勝利したと考えた。

　しかし、テレビ視聴者の印象は正反対であり、討論会終了後の世論調査では、ケネディが優位に立った。テレビでは、病み上がりのニクソンが痩せて青ざめて見えたのに対し、討論前に顔に入念なメーキャップを施した四歳年下のケネディは、日焼けした肌がテレビ映えし、若く自信に溢れているように見えたのである。

　ニクソンのスーツが薄いグレーだったのに対し、ケネディのスーツが濃紺だったことも明暗を分けた。当時のテレビは白黒であったため、グレーのスーツを着たニクソンが画面に埋没して見えてしまったのに対し、濃紺のスーツを着たケネディの画面上の存在感は圧倒的であった。この討論会は、テレビというメディアの情報の伝え方そのものが、人々の思考や行動に絶大な影響を与え、超大国の指導者を決める選挙の帰趨にまで影響を及ぼすことを示すきっかけとなった。

　それから六〇年の時が流れた今日、テレビが政治に大きな影響を与える現象は「テレポリティクス」と呼ばれ、テレビの力を利用して世論の支持を得る政治家も増えた。

　日本で近年、テレビの力を存分に活用して世論の支持を維持し続けた政治家の典型は、二〇〇一年四月〜二〇〇六年九月に首相を務めた小泉純一郎氏だろう。小泉氏は在任中、テレビカメラの前で記者の質問に答える「ぶら下がり」を毎日のように続け、「自民党をぶっ壊す」といった歯切れよく短いフレーズを多用し、世論の人気を博した。

私は小泉政権時代の二〇〇二年一〇月〜二〇〇四年一月にかけて、毎日新聞政治部で日本外交の取材を担当していたが、小泉首相の発言を翌朝の新聞で改めて熟読すると、さほど深い意味がなく、中身の乏しい発言が多いと感じることが少なくなかった。

しかし、毎日夕方になるとテレビカメラの前に颯爽と登場し、記者団の質問に数秒単位の短い言葉で歯切れよく答える姿は、「改革する首相」を国民に印象付けるのに十分であった。テレビカメラの前で重要なのは、必ずしも「何を語ったか」ではなく「どう語ったか」であり、視聴者に「考えさせる」のではなく「感じさせる」ことが政権に追い風の世論形成に効果的なことを、小泉氏は知っていたのだろう。

そしてテレビ局の側も、そういう小泉氏の姿が「絵になる」ことに気付き、視聴率向上につながる可能性を感じていたからこそ、「小泉劇場」をニュースとして放映することに躍起になったのである。

賭け麻雀スキャンダル報道

引き続き「報道機関の事情」でニュースが作られる背景について見ていきたい。「テレビ局の事情」の次は、「活字メディアの事情」である。

新型コロナの感染拡大によって初の緊急事態宣言が発令されていた二〇二〇年五月、ともに活字メディアでありながら、新聞の「ニュース感覚」と雑誌の「ニュース感覚」の違いを痛感させる出来事があった。検察官の定年延長問題の渦中にいた黒川弘務・東京高等検察庁検事長（二〇二〇年五月二二日付で辞職）の「賭け麻雀（マージャン）」に関する報道である。

経緯を簡単におさらいしよう。検事長の定年は六三歳であるため、東京高検検事長だった黒川氏は六三歳の誕生日前日の二〇二〇年二月七日に退官する予定であった。ところが、その直前の一月三一日、当時の安倍内閣は「検察庁の業務遂行上の必要性」を理由に黒川氏の定年を半年延長する閣議決定をした。

検察トップの検事総長の定年は、検事長よりも二歳上の六五歳。当時の稲田伸夫・検事総長は定年を待たずに二〇二〇年七月に退官するとみられていたが、黒川氏は二月に六三歳で定年を迎えるので、検事総長就任は不可能であった。ところが、閣議決定で定年が半年間延長されたことにより、黒川氏は八月まで検察官の仕事を続けることが可能になり、七月に稲田検事総長が退官すれば、検事総長に昇格できる可能性が開けたのである。

黒川氏は霞が関・永田町界隈で「安倍政権に近い人物」などと噂されていたため、定年を延長する閣議決定に対して、野党やマスメディアから「政権に近い黒川氏を検事総長に据えることで、安倍政権下で起きた様々な不祥事に関する捜査をやめさせようとしているのではないか」などと批判が出ることになった。

以上が黒川氏の「賭け麻雀」に関する報道が出るまでの顛末であるが、黒川氏の定年を延長した安倍政権の狙いがどこにあったのかについては、本書の内容に関係ないので、これ以上言及しない。

黒川氏の定年延長を巡って与野党が国会で激しくぶつかり合っていた五月二〇日、文藝春秋社運営のニュースサイト「文春オンライン」は『週刊文春』の発売にあわせて、黒川氏が新型コロナウイルスによる緊急事態宣言発令下の五月一日から二日に東京都内の産経新聞記者の自宅を訪れ、産経新聞記者二人と朝日新聞の元検察担当記者（当時は記者職を離れ管理部門勤務）と賭け麻雀に興じていた疑いがあると報道した。

黒川氏は法務省の聴き取りに対し、賭け麻雀に興じたことを認めて辞意を示し、五月二二日の閣議で辞職が承認された。一方のメディア側では、朝日新聞社が元検察担当記者を停職一カ月、産経新聞社は記者二人を停職四カ月とした。

黒川氏と新聞社の三人が雀卓を囲んでいたのは、緊急事態宣言の発令期間中であった。飲食店は休業や時短営業による減収を強いられ、閉店を余儀なくされる店も出るなど経済への影響が深刻になり始めていた。学校が休校し、映画館や美術館といった文化施設は休館を余儀なくされ、外出自粛を強いられた国民の多くがストレスを抱え、不安の渦中にいた。

そうしたタイミングで、国会で「渦中の人」である検察の最高幹部が、よりによって「権力の監視役」であるはずの新聞記者と「三密」状態で賭け麻雀に興じていた――。

『週刊文春』の報道で明らかになったその事実は、新型コロナウイルスで自粛生活を強いられている国民の間に猛烈な反発を巻き起こした。多くの人が、麻雀のメンツが『産経新聞』と『朝日新聞』の検察担当のベテラン記者だった事実を知り、大手新聞社と捜査機関の癒着を見せつけられた気分になった。

雑誌の「ニュース」、新聞の「取材」

この一連の顚末の興味深い点は、賭け麻雀の事実を報道したのが雑誌メディアの『週刊文春』であり、新聞ではなかったことである。

『週刊文春』の編集部は、多くの国民が営業自粛や失業で苦しんでいる最中に、国会で渦中の人である検察ナンバー2が「三密」状態で違法性のある賭け事に興じている事実を何らかの方法で知り、「これはニュースだ」と判断したから記事化したのだろう。

一方の新聞記者たちは、「黒川氏が賭け麻雀に興じている」という事実を知っていたどころか、一緒に雀卓を囲み、黒川氏が帰宅するためのハイヤーも用意していた。新聞社の人間たちは、この状況で黒川氏と雀卓を囲む行為が「ニュース」になってしまうかもしれないとは、想像すらしなかったのだろう。『週刊文春』の報道が出た直後に産経新聞社の東京本社編集局長が紙面に掲載した次の見解が、自社の記者二人が黒川氏と麻雀に興じていた理由について正直に説明している。

「産経新聞は、報道に必要な情報を入手するにあたって、個別の記者の取材源や取材経緯などについて、記事化された内容以外のものは取材源秘匿の原則にもとづき、一切公表しておりません。取材源の秘匿は報道機関にとって重い責務だと考えており、文春側に「取材に関することにはお答えしておりません」と回答しました」

つまり、雑誌にとって、緊急事態宣言下の検察トップの賭け麻雀は「ニュース」であったが、新聞にとってそれは「ニュース」ではなく「取材」の一環であった。だから「○○新聞の記者である私は本日、国会で問題になっている検察ナンバー2の東京高検検事長と緊急事態宣言下で三密状態で雀卓を囲み、検事長の帰宅のためにハイヤーも提供した」などという新聞記事が彼ら自身の手で書かれることはなく、代わりに週刊誌が書いた。

そこで明らかになったのは、「文春砲」と言われるスクープ連発の週刊誌のニュース感覚と、大手新聞社のニュース感覚の決定的な違いである。そして、国民の多くは『週刊文春』とニュース感覚を共有していたから賭け麻雀に怒った。その反対に、大新聞の社会部の検察担当記者のニュース感覚は、国民のニュース感覚とは違っていた、ということだろう。

当局者への潜行取材

では一体、雀卓を囲んでいた新聞記者にとって「ニュース」とは何だったのだろうか。雑誌メディアの餌食（えじき）になるかもしれないリスクを冒してまで、新聞記者たちはなぜ、検察ナンバー2と雀卓を囲み、帰宅用のハイヤーまで用意していたのか。

海外メディア事情を本当の意味で深く知らないフリージャーナリストや評論家の中には、記者が警察官や検察官と水面下で接触すること自体を「日本メディア特有の癒着」とし、「欧米の記者は取材対象とお茶も飲まない」などと論じてきた人がいる。知ったかぶりも甚だしく、悪質なデマというほかない。

捜査当局者に食い込むこと自体は重要な取材上の「手段」であり、報道の自由がある国ならば世界中どこでも行われている。私が海外特派員として駐在していた国々のマスメディアの取材の仕方を振り返っても、ジャーナリズム先進国の米国でも優れた事件記者はFBIや警察の捜査官に水面下でコンタクトしていたし、それは南アフリカでも同じだった。

何かの事件について捜査機関に取材に出向いても、「捜査中」のひと言で追い返されてしまうのは、どこの国でも同じである。夜間や休日に捜査員と接触したり、時にはビールを一緒に飲んだりして個人的な関係を築かなければ、事件に関する情報など入ってこないのが世界共通の現実だ。調査報道の金字塔と言われる一九七〇年代初頭の「ウォーターゲート事件」の報道を手掛けたワシントンポスト紙のボブ・ウッドワード記者も、当時のFBI副長官と水面下で接触しながら取材を進めていたことを後に明らかにしている。

「記者は記者会見でこそ全力で質問すべきだ」というのは全くの正論ではあるが、質問をはぐらかしたり、事実を隠蔽したり、平然とウソをつく当局者はいくらでもいる。そのウソを暴くためには、当局の内部に協力者を作り、ウソを証明するための証言や証拠の入手に力を貸してもらうことが必要な場合もある。捜査機関の人間と水面下で個人的な関係構築を図ること自体は、世界共通の取材の基本である。

　私も新聞記者だった若い頃の数年間、鹿児島県と福岡県で警察取材（サツマワリ）を担当していた。午前零時過ぎまで住宅街で「ネタ元」の警察官の帰宅を待っていたり、親しくなった警察官とは時々酒を飲んだ。麻雀は嫌いなのでやらなかったが、一緒に日帰り温泉に行ったり家族ぐるみの付き合いをした警察官もいた。

　検察担当の社会部のエリート記者も地方のサツマワリだった私も、そうやって捜査当局者と水面下で接触していた理由は同じだ。個人的な信頼関係を構築しておけば、事件に関する情報をこっそりと教えてもらえることがあるからである。あるいは、取材に行き詰まった時に、進むべき方向性について示唆してもらうことがあるからである。あるいは、自社を除く全メディアに捜査情報を一斉にリーク（非公式な情報漏洩）される「特オチ」を防ぐためでもあり、警察や検察の内部の不祥事や腐敗を追及する時に備えて、内部協力者を増やしておく必要があったからである。

捜査情報の先行報道

しかし、当時の私には、そうやって警察組織に食い込むことに血道を上げながら、どうしても拭えない疑問があった。自分が日常的に上司から要求されている「特ダネ」とは、本当に「特ダネ」と言えるのか、という疑問である。

本書の第二章の69ページで列挙した「ジャーナリズムの九原則」を思い出して欲しい。ジャーナリズムの果たすべき役割の一つは「権力の監視」である。北海道警察本部による組織的な裏金づくりの実態を明らかにした北海道新聞の練達の調査報道記者として知られ、現在は東京都市大学教授の高田昌幸氏は『週刊文春』による賭け麻雀報道の後、記者が当局者と水面下で接触することの意味について次のように書いている。

懐に入り込もうが、遊漁船で一緒に釣りをしようが、オープンデータに依拠していようが、情報開示請求をばんばんやろうが、公式会見での徹底追及であろうが、真夜中にネタ元の自宅で酒を飲んでいようが、犬の散歩を一緒にしようが、それらは全て「手段」の話である。(中略)取材で得た情報は、読者・国民のものだ。要は知る権利に資する情報をゲットし、権力監視の報道を実現し、期待されているジャーナリズムの役割（そんな期待が国民の間にどの程度残っているのか心もとないが）をきちんと果たしたか、果たそうとしているか、ポイントはそこにしかない。（高田昌幸「黒川検事長と賭け麻雀をした記者は今からでも記事を書け」『論座』朝日新聞社、二〇二〇年六月一七日）

高田氏が指摘するように、新聞記者が捜査幹部に密着する本来の目的は、その関係を通して得られた情報を使って「権力の監視」をすることにある。

しかし、警察や検察を担当する記者の日々の取材の実態は、そうしたジャーナリズムの原則からほど遠いと言わざるを得ない。特にサツマワリの最前線に投入される若い記者に要求されている「特ダネ」の典型は、「検察、〇〇の事件で今日、容疑者を逮捕へ」「逮捕された容疑者が××と供述していることが分かった」といった、捜査情報の先行報道である。

逮捕の事実はいずれ正式発表される事柄であり、容疑者の供述内容は公判が始まれば明らかになることであるにもかかわらず、そうした捜査の動きを少しでも早く察知することに、日本の新聞社は想像を絶するほどの膨大なエネルギーを注いできた。

私が二〇年以上前に地方の警察官を相手にやっていた「取材」も、黒川氏と麻雀に興じた東京社会部のエリート記者がやっている「取材」も、こうした捜査情報の先行報道を最優先の「特ダネ」として日々追い求めている点は変わらない。

「特ダネ」と人事

未発表の捜査情報をスッパ抜いてくることが「特ダネ」であり、それができる記者が「優れた記者」であるという感覚は、新聞社の編集局の中枢で先輩から後輩へ、ベテラン記者から新米記者へ脈々と継承されてきた。

こうした捜査情報至上主義とも言えるニュース感覚に疑問を感じる記者も新聞社内には存在するが、なかなか組織の主流にはならない。捜査情報を重視するニュース感覚は新聞社内の人事の運用と固く結びついており、局長や部長といった社内の「出世コース」を歩んだ人々の間で概ね継承されてきた実態があるからである。

そのようなことが、なぜ起きたのか。理由の一つは、秘匿されている捜査情報を非公式な形で入手してくる芸当の難しさと、新聞社内でも群を抜く事件記者の仕事の「辛(つら)さ」にある。

警察官や検察官といった人々は、人間の生死にかかわる事件や事故を取り扱うので、多くが守秘義務に忠実で、とにかく口の堅い人々である。私も記者生活の中で、警察官、外交官、官僚、政治家、企業人など様々な人々を取材してきたが、捜査機関の壁の厚さと、そこで働く人々への接触の難しさは群を抜いていた。彼らに接触して関係を構築するには、睡眠時間も確保できないほどの膨大な時間、労力、精神力を投入せざるを得ない。

また新聞社では、取材能力が低いにもかかわらず声高に何事かを主張したがる若い記者ほど、アクセスの容易なＮＧＯや市民団体の取材に流れていく傾向があり、仕事の辛い警察・検察担当を希望する記者は少ない。結果として、捜査機関の厚い壁に穴を開けることのできる職人芸的な能力を備えた若手記者は、同期入社の記者数十人のうち、ほんの数人いるかどうかというのが現実である。

このため若い頃に「皆が嫌がる警察・検察担当」を引き受けた記者で、なおかつ捜査機関の壁に穴をあける職人芸的な能力と瞬発力に優れた記者に対しては、その後の人事で報いるという暗黙の了解が新聞社内でシステム化した。

「警視庁か東京地検特捜部の取材キャップを経験した者でなければ、東京本社の社会部長になれない」「大阪府警キャップを務めた記者でなければ、大阪本社の社会部長にはなれない」「海外特派員は事件取材で辛い思いをした記者への褒美である」といった、どこにも明文化されていない不文律が人事制度に組み込まれ、暗黙裡に運用されてきたのである。

三つの調査報道

このような組織文化の下では、現場の記者は「将来、希望のポストで働きたいなら、捜査当局に食い込み、特ダネを取ってこい。それができたらお前の希望を聞いてやる」という強い心理的圧力を受けながら働くことになる。世間の注目を浴びている事件で「○○今日逮捕へ」を同業他社にスッパ抜かれ続けた記者は、しばしば閑職に左遷されたり、社内の希望部署への配属が叶わないといった事実上のペナルティーを受けることもある。

記者にしてみれば、人事を人質に取られた形なので、捜査情報を崇め奉るニュース感覚に疑問を感じながらも、捜査情報の先行報道に邁進しがちになる。

本書で何度も紹介している「ジャーナリズムの九原則」を示した"The Elements of Journalism"（邦題『ジャーナリズムの原則』）の中で、著者のビル・コヴァッチとトム・ローゼンスティールは、調査報道には三つのタイプがあると指摘している。

一つ目は「本来の形の調査報道」である。これは、記者がそれまで市民には知られていなかった新事実を暴露する報道である。今回の賭け麻雀を報じた『週刊文春』の報道は、一般の国民が知らない新事実を独自に調べて暴露したものであり、敢えて分類すれば、このタイプに属すると言えるかもしれない。先ほど名前を挙げた元北海道新聞記者の高田昌幸氏が追及した北海道警察本部の裏金作りに関する報道は、こうした「本来の形の調査報道」の王道ともいえるものである。

二つ目は「解釈型の調査報道」である。これは、特定の問題や概念を注意深く分析することによって、その問題についての市民の理解を深めたり、新しいものの見方を提示したりする報道である。例えば、新型コロナの感染拡大という事実を知らない市民はいないが、「日本の対策の強みと弱み」という問題を考えるには、世界各国の事例を集め、虚実を鑑別し、事実を分析し、多数の専門家に取材して分析結果を再構成する、膨大な作業が必要だ。一般の市民がこれに取り組むのは時間、費用、ノウハウなどの面で困難かもしれないが、時間と資金とノウハウのある新聞社であれば、その気になればできるのでは――ということである。

そして三つ目に、同書が皮肉を込めて挙げているのが「調査報道」ではなく「調査に関する報道」という報道スタイルである。これは、公的機関が既に進めている捜査・調査の内容をリークに基づいて報道することを指す。

捜査情報をスッパ抜くのに血道を挙げる日本の事件報道がまさにこれだ。たしかに記者は記者クラブの机に座って広報資料の配布を待っているわけではなく、膨大な時間と労力を投入し、捜査員の自宅に夜討ち朝駆けし、時には雀卓を囲み、未発表の捜査情報を手にする。それは一見すると、堕落したマスメディアの象徴として批判される「発表待ちジャーナリズム」ではなく、膨大な労力を投入した独自取材のようにも見える。

しかし、そうした取材の最大の問題点は、「ジャーナリズムの原則は権力の監視にある」という視点がすっぽりと抜け落ちていることだ。

捜査情報をスッパ抜いてくるだけの取材について、同書は「報道機関は権力に対する監視役ではなく、その道具になる危険がある」と警鐘を発している。その言葉通り日本では、捜査が冤罪の方向に進んだ場合、新聞社は冤罪に苦しむ人の味方になるのではなく、捜査当局発のリークを拡散し、冤罪を助長する役割をしばしば果たしてしまうのである。

「権力の道具」だった私

ここで私自身の新聞記者としての経験について、きちんと書いておかなければならない。私は海外特派員としての勤務が長かったが、海外駐在に出る前の計九年間、鹿児島支局を振り出しに、福岡総局（現西部本社報道部）、東京本社外信部兼政治部——と国内の取材部署に勤務していた。

その間、自分は「権力の監視」を実践するような記事を一度でも書いたことがあっただろうか。今になって、そう自問することがある。

大学院でアフリカの政治について勉強した私は、若い時分の国内勤務のころ、いつか海外駐在に出たいという希望を持っていた。しかし、海外特派員を希望する若い記者は社内に山のようにいるにもかかわらず、ポストは少なく、多くの記者は「いつか自分も海外に」と夢を抱きながら、叶うことなく記者生活を終える。上司からは、「国内勤務で良い成績を挙げた者でなければ、希望を叶えることなどできない」と陰に陽に言われていた。新聞社も会社組織である以上、当たり前のことであった。

先述した通り、その「良い成績」の基準の一つに、「当局の情報をスッパ抜いてこい」があった。そこで、九州でサツマワリをしていたころは警察官の自宅を訪ねて一緒に酒を飲める関係をつくり、「今日逮捕へ」などという記事を書き、東京本社へ異動後は外務省の担当になり、日本外交に関する当局情報をスッパ抜くことに躍起になった。

忘れられない取材がある。二〇〇三年五月九日夜のことだった。そのころ私は数人の外務官僚とサシで酒を飲める関係を作り上げており、その夜はある男性官僚と六本木の小料理屋で酒を飲んでいたところ、彼がおもむろに口を開いた。

話の概要はこうだった。日本政府は今後、核兵器保有の意思を示し始めた北朝鮮に対し、「対話と圧力」という新しい外交方針で臨む。従来の対話重視のみの方針では、もはや北朝鮮の脅威には対処できないくらい、北朝鮮は危険な存在だ。昨日、外務大臣、外務事務次官らが協議して新方針を決定し、小泉総理（当時）の了解を得た。総理は今後、国会で対北朝鮮政策について説明する際には「対話と圧力」というフレーズを用いることにする。また、総理は二週間後の五月二三日に訪米し、ブッシュ大統領（同）との会談で新方針について伝える。以上のことは、現時点ではまだ発表されていない――。

勘定を済ませた私は聞いたばかりの話を上司に電話報告し、記者クラブの自席に飛んで帰って記事を書いた。「北朝鮮に「対話と圧力」政府が新基本方針　日米会談で表明へ」という見出しのついた記事は、「特ダネ」として翌五月一〇日の毎日新聞朝刊の一面トップを飾った。

まもなく小泉首相は国会で「対話と圧力」のフレーズを多用し始め、日米首脳会談も記事の通りになった。上司から「お褒めの言葉」があり、私は「こういうことを続けていけば、海外特派員の希望を叶えてもらえるかもしれない」と考えた。

それから半年ほど経ったころ。再び彼と酒を飲んでいた時に、こんなことを言われた。

「あの時は、北朝鮮の脅威を国民に知らせる記事を書いてくれてありがとう。アメリカの力を借りなければ北朝鮮の脅威から日本を守れないので、日本政府はアメリカのイラク戦争を支持するしかないことを国民に分かってもらう必要があった」

二〇〇三年三月に米国のブッシュ政権が始めたイラク戦争に対しては、日本を含む世界各国に根強い反戦世論があった。一方、現在は正真正銘の核兵器保有国になった北朝鮮はそのころ、核兵器保有に向けた意思をちらつかせ始めており、米国の「核の傘」を確かなものにしておきたい日本外務省は、日本国内のイラク戦争反対・反米の世論に手を焼いていた。

この外務官僚は正直な人だった。自らが国民に「北朝鮮の脅威」を強調しようとしてきたことを認め、その「広報」のために私という新聞記者を使ったことを告白したのだった。私は「権力の道具」になり、国民は私の記事を通じて情報操作されていたのである。

言論の自由が保障された現代日本において、本当はミッドウェー海戦で空母四隻を失ったにもかかわらず「我が方の空母二隻損傷」などと真っ赤な嘘を捏造した大本営発表のような情報操作は困難だろう。テクノロジーが発達し、様々な情報のチャンネルが存在する現在、政府といえども「沈んだ船」を「沈んでない」と言い張る一〇〇%の捏造は難しい。

現代の情報操作はもっと洗練されている。当局は未発表情報という「特ダネ」に飢えた報道機関を巧みに操りながら、自らの狙いを世論に静かに染み込ませていくのである。読者・視聴者はそうした現実があることを意識しながら、マスメディアが発するニュースに接することが大切である。

第五章　「陰謀論」と「不誠実な報道」

トランプ時代の「情報と人間」

本書の目的は、米国の大統領だったドナルド・トランプ氏が支持された理由を分析することではない。だが、「情報」について考える本書の性格上、トランプ氏と熱狂的支持者の問題に触れないわけにはいかない。

トランプ氏が当選した二〇一六年一一月の米国大統領選では、対抗馬のヒラリー・クリントン氏にとって逆風になりかねないフェイクニュースや陰謀論が拡散し、「フェイクニュース」という言葉が世界で知られるきっかけとなった。

大統領に就任したトランプ氏は、ツイッターを使って支持者に直接メッセージを届け、記者会見ではなくSNSで重要政策を発表した。さらには、ツイッターで、ニューヨークタイムズやワシントンポストといった米国の名門新聞やテレビ局を「フェイク」と断じてきたし、記者会見でCNNの記者を指さしながら「おまえはフェイクだ」と恫喝（どうかつ）したこともあった。支持者はそのたびに、メディアを擁護するのではなく、SNS上で「いいね！」をクリックしてトランプ氏に喝采（かっさい）を送ってきた。二〇一六年の大統領選から現在に至るまで、トランプ氏とその支持者が「敵」と見做（みな）してきたのはマスメディアであった。

在任中の四年間、トランプ氏に好意的なマスメディアは数えるほどしか存在せず、少なくとも二〇年くらい前までの米国ならば、ここまで新聞とテレビを敵に回した政治家が世論の支持を得られるはずがなかった。だが、再選を目指した二〇二〇年一一月の大統領選では、前回選挙の自身の得票を大きく上回るおよそ七四〇〇万票を獲得した。

民主党のジョー・バイデン氏の当選が確実になっても、トランプ氏は敗北を認めず、選挙で不正が行われたと主張してきたが、本書を執筆している二〇二一年一月初旬時点で、不正を示す明確な証拠は見つかっていない。それでもトランプ氏を熱烈に支持する米国人は大勢おり、支持は海外にも広がり、日本語のSNS空間にも選挙の不正を訴え、トランプ氏を支持する声が根強く存在する。

大統領選挙の結果を確定する二〇二一年一月六日の連邦議会の合同会議には、選挙の不正を訴えるトランプ支持者の群衆が押し寄せ、一部が侵入して議事堂を占拠する事態となった。不正を主張する人々のデモには、決まって「マスコミにだまされるな」「マスコミはフェイクだ」という横断幕やのぼり旗が登場した。日本国内でトランプ支持の立場から「不正選挙」を主張する人々が作った集会の告知ビラにも「マスコミのフェイクに惑わされるな」の文字があった。

トランプ政権の四年間で変わったもの。それは、人間の「情報との付き合い方」である。正確に言うと、その変化は二〇一六年の大統領選の前から世界中で始まっていたが、トランプ大統領の誕生によって、変化が急加速した。

「どの筋から圧力が?」

二五年ほど前、二〇代だった私が鹿児島支局の駆け出し記者だったころの話だ。三〇歳前後の男性が突然、支局にやって来て、「好きな女性に思いを伝えようとしただけなのに、彼女が一一〇番したために警察に逮捕された」と話し始めた。

男性は「女性が冷静に話を聞いてくれないので、彼女の手を摑んだところ悲鳴を上げ、なだめようとしたら揉み合いになり、軽いけがをさせてしまった。悪いのは話を聞こうとしない彼女なのに、警察、検察、裁判所、弁護士、医師、すべての権力が一緒になって僕を犯罪者に仕立て上げた。助けて欲しい」などと一時間近く話し続けた。氏名、電話番号などを聞き取り、「後日ご連絡します」と言って帰ってもらった。

放置しておこうかとも思ったが、念のため取材してみたところ、女性に対するストーカー常習犯であることが分かった。ある女性は恐怖のあまり何度も警察に相談していたが、当時はストーカー規制法がなく、警察は対応に苦慮していた。最終的には女性の体を押さえつけようとした際にけがを負わせたとして傷害容疑で逮捕され、あまりに執拗で悪質だとして実刑判決を受け、服役して出所したばかりであった。警察は再犯の恐れがあるとして、男性の所在と行動に注意を払っていた。

「連絡する」との約束は守るべきだと思い自宅に電話したところ、母親と思しき年配の女性が出た。新聞社であることを告げると、ひどく警戒した声色になったが、「○○さんに電話する約束になっています」と言うと取り次いでくれた。

いきなりストーカーの件に触れるのは得策でないと思い、「検討した結果、記事を書くつもりはありません。お力になれず申し訳ありません」と伝えたところ、先方は「え?」と絶句し、しばらくの沈黙の後にこう言った。今でも声色まで鮮明に覚えている。

「あのお、どの筋から圧力がかかって書けなくなったんでしょうか? やっぱりマスコミって、真実を知ってても書けないんですか」

新聞社には、こういう人がしばしば訪ねてきたり、電話や手紙でコンタクトしてきた。「マスコミは何らかの強い権力に支配され、圧力を受けているので、決して真実を書くことはない」という、いわゆる「陰謀論」「陰謀史観」の持ち主である。

戦前から現代までの日本に存在した様々な陰謀史観の具体例について研究した歴史学者の秦郁彦(はたいくひこ)氏は、陰謀史観を「特定の個人ないし組織による秘密謀議で合意された筋書の通りに歴史は進行したし、進行するだろうと信じる見方」と定義する(秦郁彦『陰謀史観』新潮新書、二〇一二年)。

元朝日新聞記者でフリージャーナリストの烏賀陽弘道(うがやひろみち)氏は著書『フェイクニュースの見分け方』の中で、近年の陰謀論・史観の持ち主に共通する特徴として次の六点を挙げている。

（一）ある出来事の背景には、何らかの「秘密の強い力・組織」が働いている、と考える。

（二）「強い力」を持つ者たちの狙いは、日本や世界を思い通りに動かすことだと考える。

（三）「強い力」を持つ勢力が、裏で社会や歴史を動かしている、と信じている。

（四）この勢力や陰謀の存在は、秘密のまま決して明るみには出ない、と信じている。

（五）こうした勢力や陰謀の存在を新聞やテレビなど主流マスコミは一切伝えない。「強い力」を持つ勢力がマスコミに圧力をかけたり、マスコミを支配している、と信じている。

（六）自分たちが利益を得た場合には陰謀論は登場しない。自分たちが何らかの「被害」を受けたと考える時のみ、その原因としての陰謀の存在を主張する。

(烏賀陽弘道『フェイクニュースの見分け方』新潮新書、二〇一七年より要約)

トランプ政権と陰謀論

秦氏によると、戦後日本の陰謀史観の具体例を調べただけでも、コミンテルン(国際共産主義)、ユダヤ人、フリーメイソン、ルーズベルト米大統領、昭和天皇などさまざまな個人や組織を主人公にした陰謀論が現れては消え、現代も次々と新しい陰謀論が登場している。

それでも私が駆け出し記者だった一九九〇年代当時は、マスメディアを陰謀の一翼を担う勢力と見做す人は今ほど多くなく、陰謀論者に出会ったとしても、適当に相槌(あいづち)を打っておけば済んだ、という記憶がある。多くの場合、二度と会うこともない。しつこく連絡してくることもない。どこかで悪口を言いふらされても実害もない。

しかし、それから四半世紀の時間が経過する間に、状況は変わった。かつては社会のあちこちで持論を展開していた様々な陰謀論・史観の持ち主たちは、インターネットの爆発的普及によって、連絡を取り合い、集団と化し、執拗にコメントを発し、政治にまで影響力を与えるようになった。

そして何よりの大きな変化は、マスメディアが陰謀を企てている主役の一部と見做され、インターネットの世界にこそ「真実」がある、と考える人々が現れたことである。ドナルド・トランプという人物は、そうした人々の「情報」に対する認識の変化を敏感に嗅ぎ取り、陰謀論を社会に広めることを武器に権力を手にした、恐るべき才覚の持ち主であると私は考えている。

既存の政治家、業界団体、ロビイスト、FBIなど捜査機関、オールドメディアの大手マスメディア。そうした既得権益層のエリートから成る「ディープ・ステート（国家内国家）」は米国民の敵であり、やつらは国民のために戦う自分を追い落とそうとしている。二〇二〇年一一月の大統領選における「不正」は、ディープ・ステートの企ての集大成だ――トランプ氏はそういうことを主張してきたし、その主張に喝采を送ってきた人々が大勢いる。

これまでのところ、連邦の司法当局や各州当局が、いくら大統領選の「不正」の証拠を探しても出てこない。だが、トランプ氏の熱心な支持者にしてみれば、「不正が見つからないこと」は何ら不思議でなく、むしろ想定の範囲内ですらあるだろう。

なぜなら、陰謀論を信じている人にとって、ディープ・ステートは「秘密組織」であり、「証拠を完全に隠蔽しているから」であり、「本来なら不正を明らかにすべき立場の捜査機関やマスメディアはディープ・ステートの一員」であり、「不正の証拠がまったく出てこないほど完璧に隠蔽していること自体が不正の証拠」だからである。

したがって、物事を徹底して陰謀論的に考えている人とは、そうした考え方を改めてもらわない限り、対話が成立しない。陰謀論の持ち主に様々な事実や疑問を突きつけたり、矛盾を問いただしても、彼らは絶対に降参しない。陰謀論・史観の考え方は「あれは××による陰謀だが、証拠は存在しない。なぜなら××の陰謀だからだ」というトートロジー（同義反復）によって自己完結しているので、外から入り込む余地がないのである。

だから、陰謀論の持ち主は、自分が陰謀論の持ち主であるとは思っていない。こちらが、「あなたの考え方は陰謀論のようだ」と指摘しても、「自分は普通の日本人だ」「あなたこそマスゴミに騙（だま）されている」などと自分が「普通」であることを強調されるだけである。

もし、本書の読者の中に陰謀論を信じている人がいた場合、本書を読んで「この白戸という筆者は元記者だろう。自分の古巣のマスゴミを守りたいだけだろう」と私の「陰謀」を主張するコメントをどこかのサイトに書き込むだろう。烏賀陽氏が特徴として挙げたように、陰謀論者は自分の意見に賛成してくれる人の言うことだけを認め、自分の意見が否定された時には陰謀の存在を主張し、根拠薄弱な「事実」や荒唐無稽(こうとうむけい)な「証拠」を挙げて反論を試み、冷笑や嘲笑(ちょうしょう)を浴びせる。

陰謀論者の主張は、科学や知性や常識ではねじ伏せることができない。つまり、陰謀論者が力を持つ社会とは、自分の信じている情報が正しいのか間違っているのかを識別できない人や、そもそも自分の信じている情報の正誤を検証する意思のない人が力を持つ恐ろしい社会である。

情報ランチ定食

一九九〇年代後半に一般市民にインターネットが普及し始める以前のニュースの情報

源は、極論すれば、どこの国でも新聞とテレビのみであった。米国では主に都市部の知識層がニューヨークタイムズなどの大手紙を読み、地方都市の人々は地元紙を読んでいたので、全米をつないでいたのは三大テレビネットワークであった。今から思えば、それはテレビを通じて情報資源が米国民に均質に分配される「情報平等社会」であったともいえる。

　日本の場合、朝日新聞と産経新聞の論調は昔から大きく異なっていたが、時事ニュースを淡々と伝えるという点はどの新聞社も同じであり、朝日の読者は田中角栄を知っているが、産経の読者は田中角栄を知らない、などということはなかった。日本のマスメディアは「横並び」などとさんざん批判されていたが、テレビに加えて新聞が情報を国民に均質に分配している点では、米国以上の「情報平等社会」だったといえる。

　人間にはもともと、「自分が知りたい情報」を優先的に信じ、「知りたくない情報」を忌避する心理的傾向がある。天気予報を例に考えてみよう。一週間後の日曜日の天気予報は雨だが、予報の的中精度はＡ、Ｂ、Ｃの三段階のうち、最も精度の低い「Ｃ」であったとする。予報は雨のままかもしれないし、晴れに変わるかもしれない。そういう時、一週間後に屋内で仕事することが確定している人は、予報の変化を事実として淡々と受け入れることができる。だが、同じ人であっても、一週間後にピクニックに出かけることが確定している場合には、「晴れに変わるかもしれない」と願い、晴れの兆候を必死に探そうとする。

マスメディアは、情報に関する選択肢を人々に与えない代わりに、こうした「知りたい情報を優先的に信じる」という人間の心理的傾向に一定の歯止めをかけていたと考えられる。マスメディアによって視聴を強制されていた「知りたくない情報」の中には、「知りたくはないが、知らなければならない情報」も含まれていたからである。

インターネットの普及以前のマスメディアは、味はおいしくないものの、これさえ食べていれば最低限の栄養バランスは保証される「情報ランチ定食」のような存在だったと言えるかもしれない。情報源がマスメディアだけの時代には、人々が自分の責任において情報メニューを選ぶ機会は存在せず、人々に提供される情報の水準（情報ランチ定食の味）も高くはなかった。

しかし、逆に言えば、個々人の情報収集力、情報分析力、情報の出所を吟味する能力、複数の情報を比較する能力――などが問われる機会は少なく、荒唐無稽なニセ情報、陰謀論、極端な言説に個人がはまるリスクも、今よりは低かったと言えるだろう。

世界全体を説明する方法

インターネットの普及は、こうした「人間と情報との関係」を一変させた。既存の紙の新聞とテレビに「知りたくない情報」を押し付けられていた人間は、インターネットにアクセスすることによって、おそらく人類史上初めて「自分が知りたい情報」だけを選択することが可能になった。さらに、「自分が知りたい情報」だけを知った人が「自分に同調する人が多いことを確認して安心するため」に集うことも容易になった。

米国の法学・政治学者であるキャス・サンスティーン氏は、インターネットの世界では無数の個人の意見が集約され、最終的には一つの大きな流れになっていく特徴があると指摘し、この特徴を「サイバー・カスケード」と呼んだ。カスケード（cascade）とは元々、階段のように小さな滝が連続している状態を意味する英単語である。サンスティーンは、人々がサイバー空間の一つの意見に同調していき、最終的には大きな集団になることを、小さな滝が最終的には大きな水の流れになる現象に例えたのである（キャス・サンスティーン『インターネットは民主主義の敵か』石川幸憲訳、毎日新聞出版、二〇〇三年）。

人は誰でも、自分と同じ価値観の持ち主と交流すれば快適であり、反対に激しく反論されれば気分が悪いので、ネット空間では自分と似た価値観を持つSNSユーザーを選んでフォローする。原発反対派は原発反対派ばかり、韓国が嫌いな中高年は嫌韓派ばかりとつながる。それは自然なことだが、こういう似た者同士が集う空間では、自分がSNSで意見を発信しても、自分と似た意見ばかりが返ってくる。このように同じ意見ばかりが返ってくる現象を、閉鎖された小部屋で音が反響する物理現象に例えて「エコーチェンバー」という。

サンスティーン氏は、ネット空間では付き合う相手を選ぶことができるため、インターネットには人間を一つのエコーチェンバー空間に閉じ込めてしまう特性があることを見抜いた。そして、エコーチェンバー空間の中でサイバー・カスケード現象が発生し、多数の人が同じ意見を支持していることを空間内の皆が実感し始めると、異論を差しはさむ人を徹底して排除し、その空間内の主張が極端に単純化され過激になることを指摘したのである。

こうした環境下では、「自分が知らない情報や、知りたくない情報の中にも、知っておくべき情報があるだろう」と考えることができるかが最初の分かれ道になる。ここで「自分の知りたい情報」だけを選ぶ道に進めば、その人は特定のエコーチェンバー空間に閉じ込められ、異質な意見をすべて排除していくことになるだろう。

一方、「自分が知らない情報や、知りたくない情報の中にも、知っておくべき情報があるだろう」と考えて情報を集める人のところには、様々な情報が集まってくる。

だが、情報のカオスともいえる状態の中から良質な情報を選び出していく作業は、しばしば困難である。昔は新聞社やテレビ局の編集者が料理した美味しくない「情報ランチ定食」を食べていれば済んだものが、今は自分の能力を頼りに情報の出所を吟味し、情報同士を比較し、ニセ情報をあぶり出さなければならない。

本書の第一章で言及したインフォデミックが発生している今日、その知的負荷に耐えられなくなる事態は誰にでも起こり得る、と私は考える。そして、その時に誰もが陥る可能性があるのが、何でも話を単純にしたがること——すなわち「これさえ知っていれば、社会全体や世界全体について説明できる」という陰謀論・史観に飛びつくことである。

「世界は結局、ユダヤの金融資本が牛耳っている」

「アメリカは既得権益層のエリートから成るディープ・ステート（国家内国家）によって支配されており、大統領選挙は彼らによって仕組まれた不正選挙である」

「マスコミは本当は何でも知っているのに、権力の一部なので真実を一切報道せず、世論操作するための嘘を流している」

こうした言説は、その強い断定調の物言いに特徴がある。陰謀論に基づく言説は、証拠を一つ一つ積み上げた末に導き出した結論ではないので、「これさえ信じていれば、世界全体について説明できる」ように単純化され、さまざまな問題について自分の頭で深く考え抜かなくてもいいようにデザインされている。

陰謀論・史観は、最も知的負荷の少ない世界についての解釈方法なので、インフォデミックの海の中で不安にさいなまれ、膨大な情報を吟味し続けることに疲れた人にとっては、心安らぐオアシスのように見えることがあるのかもしれない。情報を巡るそうした状況を徹底して利用したのがトランプ氏であり、その側近たちであった。

低下したマスメディアへの信頼

ここまで見てきたように、今でこそインターネットが引き起こす様々な問題が指摘されているが、ウィンドウズ95の登場によってインターネットが一般の人々にも使われ始めた一九九〇年代半ばからしばらくの間、日本を含む先進民主主義国では、インターネットが民主主義を発展させることへの期待が高かった。

インターネットの普及を積極的に評価してきた米国の評論家ハワード・ラインゴールド氏は、一九九三年に執筆した著書（邦訳は九五年）の中で、インターネットの意義について「強力なマスメディアの上に乗っかっている既成の政治勢力の独占に挑戦し、それによって恐らく市民に基盤を置いた民主主義を再び活性化させることができる能力にある」と述べていた（ハワード・ラインゴールド『バーチャル・コミュニティ　コンピューター・ネットワークが創る新しい社会』会津泉訳、三田出版会、一九九五年）。

こうしたインターネットが民主主義の再活性化に果たす役割への期待の高さは、新聞とテレビに代表される既存のマスメディアに対する不信や失望の裏返しでもあった。

マスメディアが凋落傾向にある理由として一般的に言われているのが、インターネットの普及である。「インターネットが普及したから人は紙の新聞を読まなくなった」「若者はテレビではなくユーチューブなどのネット動画を視るようになった」というのは事実であり、既存マスメディアへの接触時間が短くなっていることは、統計的にも明らかである。

しかし、重要なことは、インターネットの普及によって新聞社とテレビ局という企業体の経営が悪化したことだけでなく、人々の間で既存マスメディアに対する不信や失望が強まってきた現実が存在することである。米国では、ラインゴールド氏の言葉を借りれば「強力なマスメディアの上に乗っかっている既成の政治勢力の独占」への失望が一九九〇年代からじわじわと広がり、二〇〇〇年代以降、マスメディアへの不信が急激に広まった。

表1は、米国の世論調査機関ギャラップ社が二〇一六年九月に発表した米国民のマス

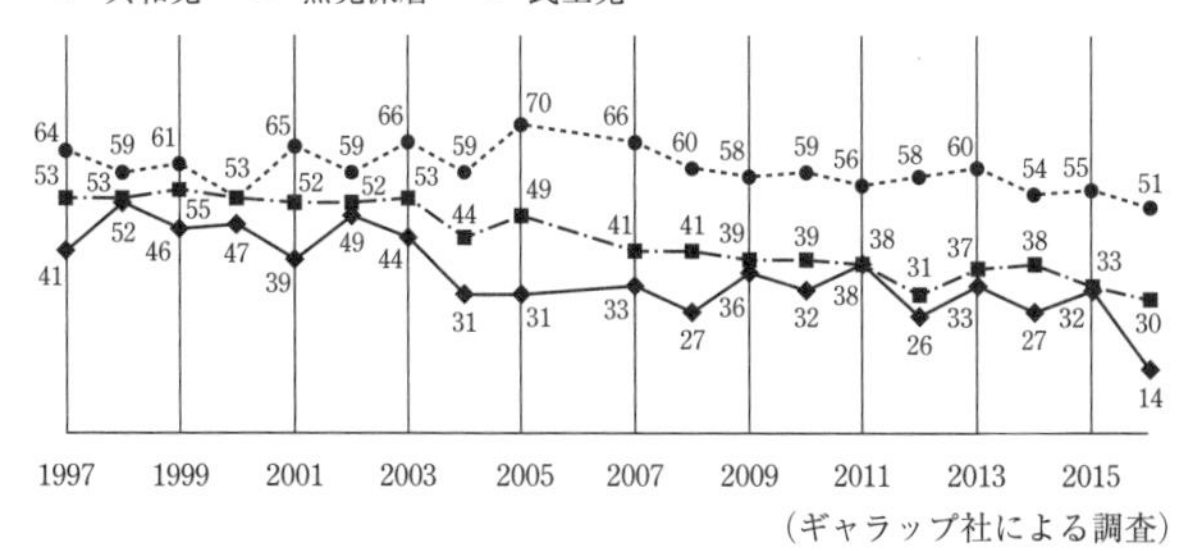

表1　マスメディアへの信頼度

メディアへの信頼度を示したグラフである。一九九七年から二〇年間の信頼度の推移を示しており、この二か月後の一一月の大統領選で、トランプ氏が当選した。

共和党支持者のマスメディアに対する信頼度は、対象となっている二〇年間で最も高かった一九九八年時点では五二％だったが、二〇〇四年に三一％にまで下落し、以後は一度も四〇％に達したことがなく、二〇一六年には一四％にまで下落している。

これと対照的に、民主党支持者のマスメディアへの信頼度は一貫して高く、二〇年間で五〇％を割ったことが一度もない。だが、二〇〇五年には七〇％を記録していた信頼度も、その後は下落傾向にあり、二〇一六年には五〇％まで落ちている。トランプ大統領の誕生は、こうしたメディアへの信頼度の低下が進む中で起きた現象であった。

日本の場合はどうか。表2は新聞通信調査会が二〇一九年一二月に公表した第一二回メディアに関する全国世論調査で、メディア別の情報信頼度を質問した結果である。二〇〇八年度から二〇一九年度まで、NHKテレビと新聞は微減傾向ではあるものの、概ね七割前後の「信頼度」を維持している。この結果をみて「インターネットに比べれば、新聞はまだまだ信頼されている」と胸を張る新聞人がいることを、元記者の私は個人的に知っている。

しかし、表3をみると、二〇一〇年度には六二・八%だった「新聞全般の満足度」は、二〇一九年度には四八・七%にまで下落しており、とりわけ四〇代以下の若年層になるほど満足度が低い傾向にあることが分かる。

メディアの「不誠実」な内幕

これらの調査からは、人々が新聞、テレビに代表されるマスメディアの何に不信や不満を感じているかが分からないが、マスメディアへの不信や不満を表明する際に使われ

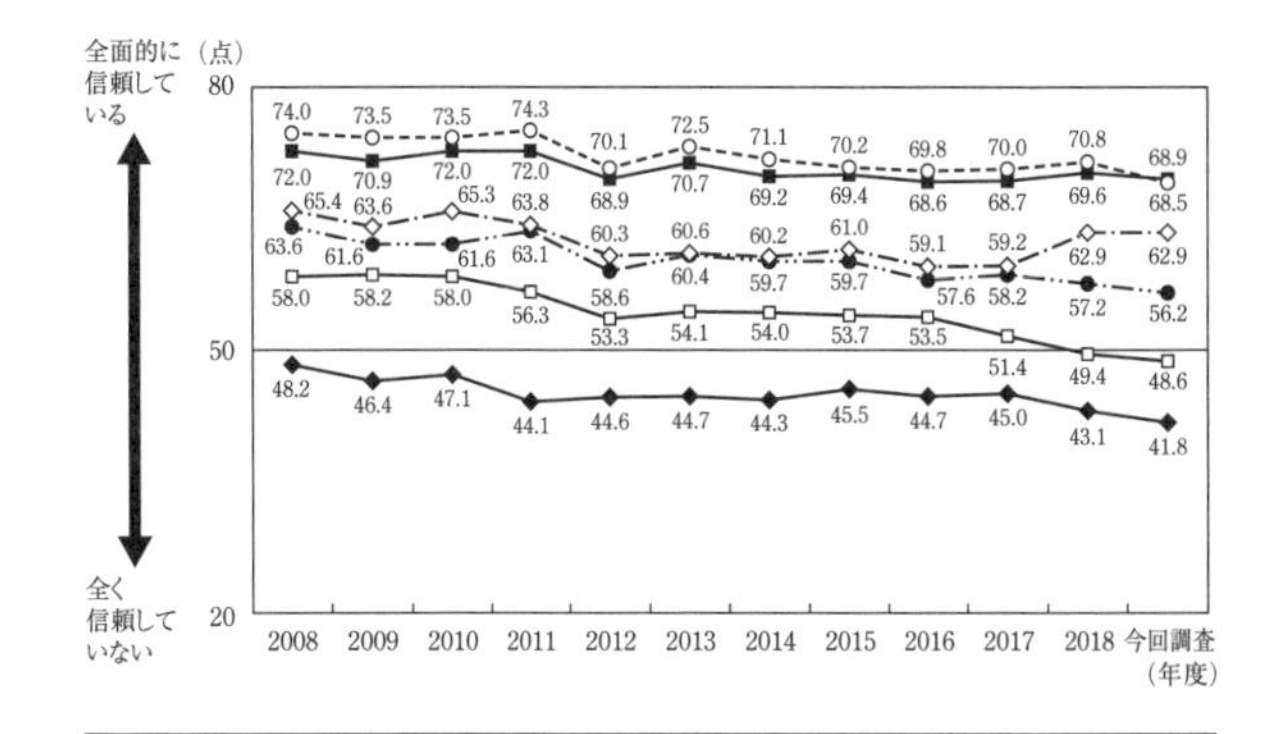

表2　メディア別の情報信頼度

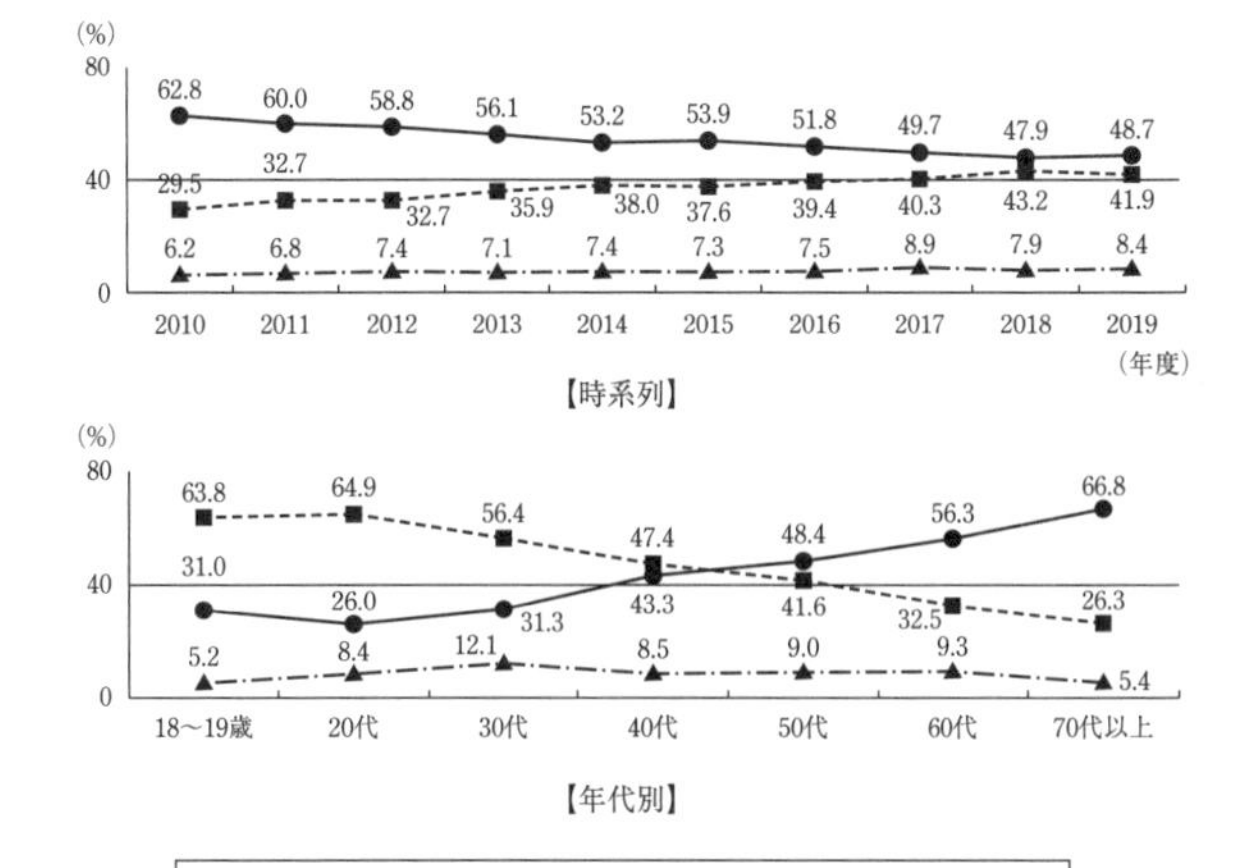

表３　新聞全般の満足度（時系列・年代別）

る常套句には、「報道の内容がつまらない」「真実を伝えない＝ウソしか伝えていない」などといった報道の「中身」に関するものが多いと思われる。

メディアと日本人の関係について膨大な実証データを踏まえて研究してきたメディア研究者の橋元良明氏は、「たとえば新聞、雑誌において、中身に愛想を尽かしたから、読者が離れつつある、というような単純な議論には与しない。ほとんどの場合、日本の読者は、既存のメディアから、単にネットという新しい「伝送路」に乗り換えて、ほぼ同じ内容を享受しているにすぎないからである」と述べ、次のように続ける。

> 既存のメディア離れは、中身の問題というより、効率的で低コストの強力な新伝送路が登場したことと、次々と新たな形態のメディアが登場し、多様なメディアに情報源が分散したことによる。もし仮に、テレビの制作者が今より一〇倍「おもしろい」番組を作ったところで、若者がテレビ受像機の前に座る時間は、往時のレベルに戻ることはないだろう。
>
> （橋元良明『メディアと日本人――変わりゆく日常』岩波新書、二〇一一年）

橋元氏が言うように、たとえばインターネット上に流れている時事ニュースのほとんどは、既存の新聞社、通信社の記者によって取材され、報道されているものである。単に最終的なアウトプットの媒体が、昔ながらの「紙に印刷された新聞」ではなく、ウェブに変わったに過ぎない。

しかし、その一方で、マスメディアの現場がどうしようもないほど閉塞し、その閉塞した現場の「不正直さ」「不誠実さ」「現実を正確に伝えようとしない偏向」といったものを、読者・視聴者がインターネット経由で知り、その結果としてマスメディアへの不信と不満が広まった——という現実はあると、私は思う。

例えば、内閣総理大臣官邸から各省庁、国会、政党、都道府県庁、市町村役場、警察、スポーツ団体などに所在する無数の記者クラブのほとんどは、マスメディア（全国紙、通信社、地元紙、テレビ局）の記者だけが加盟を認められている。さまざまな記者会見は、記者クラブによって主催されるので、フリーランスの記者は記者会見に出席できないクラブが少なくない。

フリーランスの人々は長年にわたって、そうした状況を改善して欲しいと要望し、記者会見への出席を求めてきたが、ほとんどのケースで訴えは無視されてきた。情報をアウトプットするための媒体を持たなかったフリーランスの人々は、そういう自分たちの要望を社会に知らしめることすらできなかったからである。

私が毎日新聞鹿児島支局の駆け出し記者だったころ、毎日新聞が輪番制の鹿児島県庁記者クラブの幹事社だったことがあった。ある時、「今日の夕方、県庁記者クラブで開かれる記者会見に出席したい」と相談してきたフリーランス記者がいたので、気の毒に思った私は「こっそり後ろに座っていれば、いいんじゃないですか」と黙認した。ところが、駆け出し記者の私から見ても普段からほとんど何の仕事もしていない、記者クラブのボス的存在である地元テレビのオジサン記者にばれてしまい、「若造、ふざけるな」と呼び出され、大変だったことがある。当時は地元のボスから恫喝されれば、それで終わりであった。

しかし、今は違う。誰かがボス記者の顔写真と行状と無能ぶりをインターネット上に投稿し、記者クラブの独善性と閉鎖性を社会に向けて問題提起すればどうなるか。世論が記者クラブとフリーランスのどちらの味方をするか、答えは明らかだろう。

インターネットが普及していなかった時代であれば誰も問題提起できなかったマスメディアの「不誠実な内情」が、今は白日の下にさらされる機会が格段に増えた。マスメディア不信の大きな原因の一つはここにある、と私は考えている。

内幕を暴露

私がそのように考えるのは、新聞記者だった当時のある体験が基になっている。今から説明するのは、ワシントン駐在時代の二〇一二年四月に起きたできごとである。

北朝鮮が現在、核兵器保有国となっていることは周知の通りである。北朝鮮は二〇〇六年一〇月に初めての核実験を実施して以来、核兵器開発と並んでミサイル発射実験を着々と進めてきた。

私が毎日新聞のワシントン特派員だった二〇一二年二月二九日、北朝鮮は米国との交渉の結果、米国から食糧援助を受ける見返りとして長距離弾道ミサイルの発射実験を凍結すると発表した。

ところが、そのわずか二週間後の三月一六日、北朝鮮は四月一二〜一六日の間に人工衛星を打ち上げると発表した。日本、米国、韓国は、計画は実際には弾道ミサイルの発射実験であり、弾道ミサイル技術を利用したロケット発射を禁じる国連安保理決議に違反すると反発した。弾道ミサイルが完成してしまえば、先端に核兵器を搭載し、韓国と日本はもちろんのこと、いずれは米国までが核攻撃の射程に入ってしまうからである。

日本の新聞、テレビは三月下旬以降、この北朝鮮の打ち上げ計画に関するニュース一色になった。そうした中、ちょうど打ち上げ予告時期に重なる四月一一日から一二日にかけて、私が駐在していたワシントンで、主要八か国外相会合（G8外相会合）が開催された。

北朝鮮は結局、日本時間の四月一三日午前七時三九分にロケットを打ち上げたが、G8外相会合には、日本から玄葉(げんば)光一郎外務大臣がやって来た。毎日新聞を含む日本のメディア各社は東京から玄葉外相の同行記者をワシントンに送り込み、私は同行記者とともに会議を取材することになった。

私は毎日新聞記者として、『毎日新聞』紙上に会合に関する記事を執筆する一方、この時の日本のマスメディアの報道姿勢が読者・視聴者に対してあまりにも不誠実であると感じ、ある行動に出た。自分が所属する『毎日新聞』の紙面には決して掲載してもらえない「メディアの不誠実な内情」に関する記事を、インターネットのニュースサイトである新潮社の『フォーサイト』に、現職のワシントン特派員であることを明らかにして実名で投稿したのである。

新聞記者が自らの取材結果を他のメディアに執筆することは珍しくなく、私もアフリカ情勢や米国政治についての記事は様々な媒体に書いてきた。しかし、自分の所属する業界の内情について「暴露」することは一種のタブーであり、私にとってもこれが初めての体験であった。何より、ひと昔前であれば、週刊誌などに匿名で寄稿でもしない限り、「暴露」するための媒体がなかった。

だが、インターネットの普及により、それが技術的に可能になった。新聞社で働く記者がマスメディアの実態を、新聞ではなくネット媒体に書けるようになったのである。あとは記者本人の意思と覚悟だけだ。

私の寄稿は会合最終日から五日後の四月一七日に「メディアで働く私が恐れること」

というタイトルで掲載された。『フォーサイト』の内木場重人編集長の了承を得たうえで以下にその全文を掲載するので、少々長くなるが、まずはお読みいただきたい。

「メディアで働く私が恐れること」（フォーサイト、二〇一二年四月一七日付）

ヨハネスブルク駐在の特派員時代、筆者の悩みはアフリカに関する記事を書いて日本の本社に送っても、それがなかなか掲載されないことであった。この現実は、誰が特派員になっても簡単には変わらないだろう。アフリカに対する日本人の関心の相対的な低さを思えばやむを得ないと分かってはいるものの、現場の記者にとっては残念なことである。

だが、悪いことばかりではなかった。アフリカ駐在特派員は本社から半ば忘れられた存在なので、本社の意向を忖度（そんたく）して原稿を執筆する必要がないのである。ましてや、ある特定のニュースについて東京から執筆命令が来ることは、まずない。「日本向け」の記事を執筆するよう有形無形の圧力を受けることがないので、アフリカではほとんど問題視されていないような事実を「日本向け」に敢（あ）えて大騒ぎし、針小棒大な原稿を書く必要もない。現場の記者は、目の前で起きていることを、自らの知見と感性に基づいて忠実に文字にすればよい。ある意味で、日本メディアによるアフリカ報道は、現地の「実像」に忠実であることが可能なのである。

アフリカ特派員時代を懐古したのは、先週ワシントンで開かれた主要八カ国（G8）外相会合を巡る日本メディアの報道ぶりに、違和感を覚えたからである。日本メディアの報道には、現地の「実像」に忠実かどうかという点で、大いに疑問が残った。

むろん、筆者はこの「日本メディア」の一員であり、あたかも傍観者の如（ごと）くメディアを批判する立場にはない。だが、メディアが世界の「実像」を正しく伝えているかを検証する上で、筆者がこの数日間に見た光景を書き残しておきたいと思う。

一一、一二日にワシントンで開かれたG8外相会合では、クリントン米国務長官が議長となり、国際社会の焦眉（しょうび）の問題について議論が交わされた。日本からは玄葉光一郎外相が出席し、いくつかの新聞社、テレビ局が東京在勤の政治部記者を外相に同行させた。筆者の勤務する新聞社も同行記者が来ており、ワシントン在勤の私はその手伝いをした。

会合の開催期間が、北朝鮮の弾道ミサイル発射予告（北朝鮮側は人工衛星発射と主張）

の期間と重なるため、日本メディアのもっぱらの関心は、会合でこの問題がどのように話し合われるかにあった。玄葉外相は初日の一一日の会合で、北朝鮮問題に関して八外相の中で最初に発言し、発射が強行されれば「国連安全保障理事会の決議違反」であると明確に主張した。結局、ミサイルは会合閉幕から七時間ほど経った一三日午前（米東部時間一二日夜）に発射された。

日本の新聞社の多くは発射前の一二日の朝刊、並びに同日夕刊で、G8としてのミサイル発射問題への対応ぶりを大きく報じた。朝日新聞は、一二日夕刊（早版）の一面トップで「G8　発射中止求める　外相会合声明へ　安保理決議違反」との記事を掲載。読売新聞も夕刊（早版）一面トップで「北ミサイル発射せず」の記事を掲載し、記事にワシントンにおける玄葉外相の発言を盛り込んでいる。日本経済新聞も一二日夕刊（早版）は一面トップ。筆者の勤める毎日新聞はトップ記事ではないものの、一面に東京から同行してきた記者の記事を掲載した。

ワシントンで開かれているG8外相会合の最大の焦点は、北朝鮮のミサイル発射問題である……。日本の新聞の報道を日本国内で読んだ日本国民の多くは、ごく自然にそうした認識を持ったのではないか。

だが、そうした認識は全くの誤りである。今回のG8外相会合の最大の焦点は、北朝鮮のミサイル発射問題ではなかった。アサド政権による反体制派弾圧が続くシリア情勢こそが、最大の焦点であった。

一一日の会議冒頭、クリントン国務長官は開幕にあたり、議長としてのあいさつを述べた。その発言録は公開されているので、関心のある読者は米国務省のホームページで読むことができる。会合ではミサイル発射問題、シリア情勢、イランの核開発問題、ミャンマー民主化、中東和平……と様々なテーマが議論されたが、長官はあいさつの中で、三つの主要議題に言及した。長官が最初に言及したのはシリア情勢、次にイランの核問題、そして北朝鮮のミサイル発射問題は、三番目の言及であった。

会議初日は休憩を挟み、六時間近い議論が行われた。このうち北朝鮮問題に割かれた時間は約三〇分。北朝鮮に最後まで「自制」を求め、発射が安保理決議違反であるとの認識で参加各国が一致した。

一方、シリア情勢の議論に費やされた時間は約一時間。欧米日とロシアの間で意見の隔たりが大きく、議論が収斂しなかった。一日目の協議終了後も各国は水面下で接触し、会合の閉幕時に議長国の米国が発出する議長声明の内容を巡って激論が交わされ、声明発表が当初予定より大幅に遅れる事態となった。

米東部時間の一二日夕方になって発出された議長声明を見ると、シリア情勢に言及した部分がA4用紙でほんの数行しかないことに気が付く。米露の立場があまりに隔たっていたので、意味ある文言を連ねた声明文がまとまらなかったのだ。

今回のG8外相会合とは、ある意味で最初から最後まで、シリア問題に振り回された会合だった。付け加えれば、北朝鮮のミサイル発射を受けて対応を協議した国連安全保障理事会でも、目下の最大の関心事項は北朝鮮ではなくシリア情勢である。

ところで、日本の新聞読者、テレビ視聴者は、北朝鮮一色の日本メディアの報道ぶりからこうした会合の「実像」を感じ取ることが出来ただろうか。

会合期間中、玄葉外相は日本記者団の「ぶら下がり取材」に応じ、日本外務省の担当者は日本の記者向けに、会議の内容に関するブリーフを実施した。筆者は「ぶら下がり取材」にもブリーフにも同席したが、外務省側は当然、北朝鮮以外の問題について、記者側に情報提供をしていた。

だが、これらのぶら下がり取材とブリーフで、記者団から北朝鮮以外の問題についての質問が出ることは、最後までなかった。筆者はシリア情勢について質問を切り出そうとしたが、大勢の記者の関心があまりに北朝鮮に集中しているので、割って入ることが難しく、やむなくブリーフ終了後にシリア情勢について個別に話を聞きに行った。

その結果、手前味噌（みそ）で恐縮だが、会合初日が終わった段階で、G8外相会合がシリア問題を巡って紛糾している事実を報じた日本の新聞は、筆者が勤める毎日新聞のみ。原稿の執筆者は私である。自らの着眼点の良さを自慢しているのではない。メディアは「G8外相会合で最大の焦点だった問題はシリア情勢である」という世界の「実像」を全く伝えなくてよいのか、という問題提起をしたいのだ。

世界各地で日々起きている膨大な出来事の中から何を「ニュース」として選ぶか。ニュースの選択に当たっては、様々な価値判断の基準が働く。その一つは明らかに、ニュースの受け手（読者、視聴者）にとっての「身近さ」である。

北朝鮮のミサイルの射程外にある米欧と違い、日本はG8参加国の中で唯一、北朝鮮の軍事的脅威をまともに受けている国である。したがって、日本のメディアが北朝鮮問題に強い関心を示すことは自然である。

自国に強い影響を与えるニュースが突出して重視される傾向は、日本メディアに限ったことではない。日本メディアを批判する際にしばしば持ち出される「米国のメディアはきちんとしているのに、それに比べて日本のメディアは……」式の常套句は、ここでは意味を持たない。

例えば、ワシントンで暮らしていると、米国のメディアがイランの核開発に対して、異様に高い関心を示していることを実感する。既に核実験を経て核兵器を保有している北朝鮮のニュースを脇へ追いやりながら、核兵器製造の決断を明示していないイランについては異様に高い関心を持って報道している。

その理由の一つは明らかに米国の最大の同盟国イスラエルの存在であり、イスラエルとの強固な精神的、経済的、政治的な連帯を誇示するユダヤ系米国人の存在である。米国の大統領選、議会選に多大な影響を及ぼす彼らの存在が、イスラエルの安全保障上の脅威であるイランに関連するニュースの価値を押し上げていることは疑いない。

ヨハネスブルク駐在時代を振り返れば、南アフリカのメディアが最大の関心を持って報道していた国際情勢は、隣国ジンバブエの問題であった。国境を接するジンバブエの経済が崩壊状態となり、一〇〇万人を超えるジンバブエ人が南アに職を求めて押しかけている状況を考えれば、こうしたニュース価値の判断は自然なことである。

世界のどの国のメディアも、自国との関係の中で国際情勢に関するニュースの価値判断をしている。

だが、それも程度の問題ではないか。少なくともメディアには世界の「実像」を伝える役割がある、と筆者は考える。シリア情勢を巡って紛糾している会合について何も報道せず、北朝鮮問題の議論の結末についてのみ伝えるのでは、「誤報」ではないが「実像」を伝えたことにはならない。筆者はそう考えるが、どうだろうか。

問題は、こうした報道の在り方が、特定の悪意ある記者によって恣意的に作られているのではないところにある。言い換えれば、誰かが新聞社内で「シリア情勢のニュースを無視せよ」と明確な決断を下した結果として、北朝鮮一色の紙面が出来上がっているのではない、ということだ。現場の記者から最高幹部までが「なんとなく」業界の常識に則って紙面を作った結果、日本メディアのG8外相会合に関する報道は北朝鮮一色の紙面になった。それが筆者の実感である。

G8外相会合の取材現場にいた記者たちに向かって「なぜ、シリア情勢について報道しないのか」と問い詰めると、ほぼ間違いなく「デスク（副部長クラスの編集者）はそういう報道を求めてない。シリアについて原稿を出しても、載せてもらえないのは分かっている」と答えるだろう。記者たちは、直接の上役であるデスクから暗黙裡に求められている原稿について、忖度しながら仕事をしている。入社以来の経験から、どんな原稿を出す必要があり、どんな原稿が必要ではないかについて、記者たちはいちいち明示的に指示されなくても忖度できるよう十分に「学習」しているからである。

ではここで、仮にその「デスク」に同じ質問を浴びせたらどうなるか。恐らく大方のデスクは「限りある紙面の中で何を優先するかと言えば、日本にとって喫緊の脅威である北朝鮮問題を優先せざるを得ない」と答えるだろう。デスクもまた、長年の経験から、会社の上役からどんな紙面を要求されるかについて、忖度しながら働いているからである。

そのデスクの上役、さらにその上役に対して同じ質問をぶつけていけば、どうなるか。恐らくはどこかの段階で「そんなことは現場で判断してくれ」という反論が返ってくるに違いない。最高幹部は国内外から殺到する無数のニュースのすべてについて、いちいち自分で判断などしていないし、そんなことは物理的に不可能だからである。

こうして「北朝鮮が何かをやらかした時には、大騒ぎすることになっているのだ」という、マスメディア業界全体を覆うある種の「業界の定型」に則った報道が誕生する。だが、インターネットの発達により、日本国内にいながら諸外国のメディアの報道に目を通している読者は、昔に比べて確実に増えているだろう。そうした人々から見れば、今回のG8外相会合に関する日本メディアの報道が「実像」を伝えていないことは、一目瞭然だろう。

外国語を駆使して外国メディアの報道に直接アクセスする読者は、絶対数こそ多くはないものの、最も知的水準の高い人々である可能性がある。「業界の定型」に則った報道を続けた結果、こうした最も良質な読者の信頼を失うことを、メディアで働く者の一人として恐れている。（白戸圭一）

「定型」の暴走

『フォーサイト』は会員制の有料サイトであるが、この寄稿はしばらく無料公開され、すさまじい反響があった。私にとって救いだったのが、寄せられた声のほとんどが「よく本当のことを書いた」という好意的なコメントであったことだ。

一方、親しい同僚からは「こんなことを書いて大丈夫か」と私を案ずる連絡が来た。新聞社の上の方には、現場の記者が外部媒体に寄稿すること自体を快く思っていない人もおり、ましてや寄稿の内容がマスメディアの内情に関する暴露的批判であれば、筆者への何らかの処分もあり得た。それは覚悟のうえであったが、結局、何のお咎めもなかった。当時の新聞社の役員は六〇歳前後だったので、インターネットのニュースサイトをこまめにチェックする習慣がなく、私の寄稿に気付いていなかったのか、あるいは私の「暴走」を大目に見てくれたのかは、今となっては分からない。

当時、私が我慢ならなかったのは、ニュースの選択や編集の過程において、記者・編集者による自立した判断や制御が働いておらず、皆がなんとなく「定型」に基づいて取材し、なんとなく「定型的文体」に則って記事を書き、なんとなく「定型」に基づいて紙面や番組を編集している不誠実な仕事の仕方であった。同時に、弱者のために闘ったキャンペーン報道やスクープの裏話を宣伝して報道機関の重要性を訴えることには膨大なエネルギーを注ぐ一方、ルーティンワーク（日常の業務）に埋め込まれた自らの不誠実な仕事ぶりについては積極的に語ろうとしない偽善的な業界体質であった。G8外相会合の報道に携わった時、私の中で長年燻（くすぶ）っていた、そういうマスメディアの体質への憤りが爆発したのだった。

マスメディアの日常には「他社が大きく報道しているから、ウチも報道しておこう」「どうせ各社とも大きく報道するから、うちだけ報道しないわけにはいかない」という他律的な判断が溢（あふ）れている。

そうやって、責任の所在が明らかでない報道が繰り返されるうちに、「定型」が形成され、いったん「定型」ができあがると、マスメディアは反対意見を吟味しなくなり、しばしば反対意見の存在すら報じず、報じても付け足し程度の報道になり、報道の「中身」はある特定の方向に向かう。現場の記者や編集者の中には疑問を呈する人もいるが、集中豪雨的な報道の前ではかき消されてしまうのである。

後日、「あの時の報道はおかしかったのではないか」と誰かが疑問を呈しても、マスメディアは次のニュースに向かっており、「私たちの報道は間違っていたかもしれません」という反省の声が読者・視聴者に届くことはほとんどない。このようにマスメディアの日常では、しばしば「定型」の暴走が繰り返されている。

パチンコ店を巡る報道

新型コロナの感染拡大に伴い、日本政府が緊急事態宣言を発令していた二〇二〇年四〜五月にかけて、休業しないパチンコ店に並ぶ長蛇の列がテレビで頻繁に放映されたことを記憶している読者は多いだろう。あの時、営業を続けた一部のパチンコ店に客が殺到した様子は、ほとんどのテレビ番組で極めて否定的な文脈で放映された。

日本全体で感染抑止に取り組んでいる中、ギャンブル依存症の男女が都道府県境を越えてパチンコ店に殺到し、「三密」状態を創り出し、皆が真剣に取り組んでいる感染対策をぶち壊している——。テレビ各局は概ねそうした「定型」に基づいて番組を編集し、店と客の双方に極めて批判的なトーンで長蛇の列を伝えていたことが明白であった。

　だが、後に複数の報道機関がパチンコ業界誌の調査結果として伝えたところによれば、ゴールデンウイーク期間中の五月初旬時点で、全国のパチンコ店の実に九八・七％が要請に応じて休業していた。パチンコ業界は、決して休業要請を無視して営業した店の多い業界ではなかったのである。

　あれから一定の時間が経過した今、事態を冷静に振り返れば、「パチンコ店を巡る報道は、あれでよかったのだろうか」と感じる読者も少なくないのではないだろうか。パチンコ店でクラスターの発生が相次いだという話は聞いたことがない。

　インターネットのニュースサイト「東洋経済オンライン」は緊急事態宣言の解除からおよそ三カ月後の二〇二〇年八月七日、全国に三〇〇を超えるパチンコ店を展開するマルハンの韓裕（ハンユウ）社長のインタビューを掲載した。韓氏は「パチンコホール内での喫煙率は非常に高かったので、その対応として換気設備が一般的な商業施設よりも充実している。顧客は遊技機と向き合っているため、会話による飛沫（ひまつ）はほとんど発生しない。ホールは天井が高くて広く、パチンコホールは三密にあたらない空間だ」と述べ、パチンコ店を

「三密」の温床であるかのように伝えた緊急事態宣言下の報道に疑義を呈した。

確かに、パチンコの経験のある人ならば分かるが、店内はパチンコ台から出る音やBGMでうるさく、会話ができるような状態ではない。何より客は真剣なので、ほとんど無言でパチンコ台に向かっている。会話による飛沫が多量に飛び交うような空間ではないだろう。

韓社長は、全国のパチンコ店の実に九八・七％が休業要請に応じ、その割合が「他産業に比べて高かったにもかかわらず、休業要請に協力しない代表的な産業であるかのように伝えられた。非常に残念だ」とも話している。

新型コロナは新しいウイルスであり、二〇二〇年四月に緊急事態宣言が発令された時点では、ウイルスの性質は判然とせず、妥当な感染対策は誰にもよく分からなかった。

したがって、その時点で、営業継続しているパチンコ店と客について、テレビ局が批判的なトーンで報道することは避けられなかったのかもしれない。だが、大切なのは後に自らの報道が妥当だったかを検証し、反論を取り上げ、視聴者に明らかにし、誤りがあれば正直に認めることだろう。視聴者から「これだからマスゴミは」との批判と嘲(ちょう)

笑(しょう)が殺到するだろうが、批判と嘲笑と同じくらい、その潔さを認める声が来ることに期待するしかない。

しかし、マスメディアの代表格であるテレビ局からは、そうした動きは出てこず、出版社が経営するインターネットサイトが韓社長へのインタビューという形でこれを実践している。主流マスメディアのこうした不誠実な仕事の積み重ねが、人々のマスメディアへの信頼を失わせ、人々をインターネット情報への過剰な期待、依存、過信へと向かわせてはいないだろうか。

おわりに――「正確な事実」をつかむために

本書の目的は、私たちが「情報」とどのように付き合っていけばよいかについて考えることであった。そのためにジャーナリズムとは何か、事実とは何か、マスメディアはどのようにニュースを選択して報道しているのか、陰謀論がなぜ広まるのか、マスメディアにはどのような問題があるのか――といった問題について筆を進め、「情報」との望ましい付き合い方に向けた手がかりを探してきた。

本書の「はじめに」で、「新聞社や放送局といったマスメディアが情報発信の機会を事実上独占していた状態は瞬く間に過去のものとなり、ブログ、ツイッター、フェイスブックなどを使って誰もが好きなように情報を発信し、拡散させることが可能になった」と書いた。今の時代、市民は情報の受け手であるだけでなく、一人一人が社会に何らかの影響を与える情報発信者でもある。したがって、プロのジャーナリストだけでなく、一般の市民にも「正確な事実をつかむための作法」が要求されている。

そこで、本書を終えるに当たって、「正確な事実をつかむにはどうしたらよいか」という点について記しておきたい。

情報の「次数」を考える

まず、何かの情報に接した時には、その情報の「次数」を考えてみることが非常に大切である。なぜなら、一般に情報の「次数」が上がっていくほど、情報の質は落ちていき、正確さを欠くようになる、という法則のようなものがあるからだ。

具体例を挙げて説明しよう。あなたの目の前で女性が駅のホームから転落し、列車にひかれたとする。あなたは転落の瞬間を自分の目で見た。このように自分の五感で直接知覚した情報は「一次情報」であり、あなたが夢でも見ていない限り、転落の発生は一〇〇パーセント疑いようのない正確な事実である。

次に、転落の瞬間は見ていないものの、騒ぎを聞いて現場に駆け付けたあなたが、目撃者から事故の様子を聞いた場合、その情報は「二次情報」になる。この段階で既に、情報の精度が落ちている可能性がある。目撃者が「自分の考え」を交えて話していたり、何かを見間違えていたり、最悪の場合は作り話をしている可能性があるからだ。

あなたは目撃者から聞いた情報をもとに、混乱する駅の様子を写真に撮り、ツイッターに投稿した。この投稿を見た人にとって、あなたからの情報は「三次情報」だ。次にこの投稿を見た人が、自分でコメントを付けてツイートを拡散した。これは次の人にとっては「四次情報」である。

ここまで来ると、情報の精度は相当低い。転落したのが本当は「中年女性」であったにもかかわらず、たまたま誰かが「制服を着ているように見えた」と感想を交えて情報を伝言したことにより、「四次情報」の段階では「転落したのは女子高生」になっていたりする。

一次情報に近づく努力

マスメディアで働く記者が、転落した人物の性別や年齢を間違えて報道するようなミスは極めて少ない。プロの記者は、そうした基礎情報については事故を処理した警察で入念に確認するからである。

しかし、マスメディアが事故の詳細まで正確に伝えているかというと、必ずしもそうではない。何か事故や事件が起きると、まず現場に警察官が赴く。しかし、駅ホームでの転落事故の場合は、現場に行った警察官も事故の瞬間を見ていたわけではないので、目撃者から聴取した情報は既に「二次情報」だ。

その「二次情報」が上司の課長に報告されると、課長は被害者の自宅や勤務先などから得た情報を加味して、転落が「自殺」なのか「不慮の事故」なのか「第三者による故意＝犯罪」なのかを判断する。この時点で課長が作成した事故に関する書類は、既に「三次情報」だ。この「三次情報」が警察署の広報担当の副署長に報告され、記者の耳に入る。記者の仕事は忙しいので、よほどのことがなければ現場に行くような追加取材はせず、警察の発表をもとに記事を書く。記事が読者の目に触れた時、これは既に「四次情報」である。

記者の中には、ジャーナリズムの基本に忠実に、現場の駅へ足を運び、可能な限り「次数の低い情報」にアクセスしようと試みる良質な記者もいる。

現場へ行くと、マスメディアが読者・視聴者に届けた「四次情報」にはなかった真相が新たに判明することもある。例えば、ホームが異様に狭いとか、事故が起きたのはホーム上が非常に混雑する時間帯だった、といったことだ。警察発表に基づいて書いた記事では、あたかも転落した本人の過失であるかのように描かれていた事故が、ここで初めてホームの構造に起因する問題であった可能性が見えてくる。真実への近道は、可能な限り一次情報に近づくことである。

「明らかにされていないこと」の重要性

先ほど、ホームからの転落事故を目撃したのであれば、それは「一次情報」であり、転落の発生は疑いようのない事実であると記した。

しかし、一次情報でさえあれば、常に「良質な情報」と言えるのかは全く別の問題である。例えば、現代社会では、内閣官房、中央省庁、政党、企業、大学、都道府県庁、市町村役場、捜査機関、国際機関、財団法人――などのどのような組織であっても、必ず広報担当部署や広報担当者を置いて情報を管理している。

各組織の広報担当部署の仕事は、知らせたい情報を積極的に広報することである。企業であれば、新商品や新サービスの開発などを広報することである。私たちの周りには、「携帯電話企業A社が若者向けに新サービスを始める」といったようなニュースが溢れている。それはそれで、消費者にとっては大切な「一次情報」ではある。

しかし、裏を返せば、それは「A社がより多くの利益を上げるための情報」でしかないとも言える。どのような組織であれ、知らせたい情報を積極的に広報しているのと同時に、知られたくない情報を可能な限り隠しながら仕事している。

その新サービスが本当に社会全体にとって有益なのか。そのサービスを始めることによって、何か新しい問題は起きないのか。企業が新サービスのそうした負の側面を物語るデータを積極的に広報していたら、新サービスは最初から赤字になってしまう。

したがって、何かの情報やデータに接した時には「何が明らかにされているか」だけではなく「何が明らかにされていないか」を想像することが非常に大切である。これは一朝一夕にできることではなく、プロのジャーナリストにとっても大変難しい作業だ。修練を必要とする難しいテクニックではあるが、膨大な発表情報の裏には膨大な「隠し事」があることを知っておいていただきたいと思う。

情報発信者・媒介者を吟味する

私が記者時代に福岡県警察の取材を担当していた時のこと。ある男性から警察内部の汚職について情報提供があった。いわゆる「タレコミ」である。

数人の警察官が違法カジノバーの経営者から賄賂（わいろ）を受け取る見返りに、違法カジノバーの捜査情報を経営者側に漏洩（ろうえい）しているという話だった。まじめな捜査員たちが違法行為の現場に踏み込んだ時には、いつも証拠隠滅されているという。

「タレコミ」をしてきた男性の素性を調べると暴力団員だった。筆者は男性に直接会い、「なぜ、あなたはそのような情報を我々に提供するのか」と尋ねた。

男性は暴力団員。「警察による犯罪を許せないと思った」などと突然、正義に目覚めたような話をされても信用するのは難しい。しかし、男性は比較的正直だった。以前、その「汚職警官」に様々な便宜を図ってやったのに、自分を裏切ったので復讐（ふくしゅう）したいのだという。「自分のような人間がいきなり警察に話を持って行っても、揉（も）み消される可能性が高いので、マスコミに話した方が確実だと思った」という。

この暴力団員の男性が名前を挙げた警察官の一部は、後に警察自身の手で逮捕された。男性の「タレコミ」は本当の話だったのである。

暴力団員という男性の素性を考えると、「正論」を持ち出されるよりも「個人的復讐」という動機の方に、私は情報の信憑性を感じた。このように動機が不純であっても情報の内容が正確な場合もあるし、動機は正当でも情報内容が不正確な場合もある。

プロのジャーナリストではなくても、さまざまな情報に接した時には、情報そのものを吟味するのと同時に、情報の発信者や媒介者について吟味することが大切である。

なぜなら、情報の提供者が最初から嘘をついている場合もある。不祥事を隠したい。恨みのある誰かを陥れたい。不確実なのに確実だと言い張って注目を浴びたい――。そういう思惑を持った人間はこの世に少なくない。必ずしも悪意ではなく、他人からの伝聞なのに目撃者であるかのように話すことや、推測を実体験にすり替えて自慢話にしてしまうことは誰にでもあることだ。

その情報提供者の組織内における立場や社会的立場から考えて、なぜ、その情報を知ることができたのか。情報発信者の動機は何か。直接その目で見た情報なのか、他人から聞いたのか。聞いたのだとしたら、当事者から直接聞いたのか、又聞きなのか。いつ、誰から、具体的にはどんな文言でその情報を聞いたのか。情報が伝達されていく過程に、何か不自然な流れはないか。

情報提供者に対して英語の五Ｗ一Ｈ（Who, What, When, Where, Why, How）に当たる事柄を一つ一つ確かめていくと、話に矛盾が生じたり、きちんと答えられなかったりすることは珍しくない。そうした作業を進めることによって情報は分解され、「確実なこと」「不確実なこと」「事実」「推測」「願望」「意見」「嘘」の分類が可能になってくるのである。

「未確認情報」という判断の重要性

このような作業を進めていくと、当初の想像や仮定を覆す様々な情報にぶつかる。そこで最後に重要なのは、事実を確定するために確実な「証拠」をつかむことでしかない。「大統領選挙で不正は行われたはずだが、不正の具体的証拠について自分は知らない」ではダメである。「ウラ」を取らなければ、事実とは言えないのだ。

とはいえ、プロであってもウラを取るのは容易でない。そのような場合には、ある情報についてのウラが取れていないことを正直に認め、未確認情報として扱う必要がある。「自分はここまで調べたが、これ以上の証拠はない」と正直に兜（かぶと）を脱ぐことは、他人から信頼されるためにとても大切なことだ。

プロの記者でもないのに、様々な事故や事件の現場に行って、一次・二次情報を集める時間のある人はほとんどいないだろう。ならば、伝聞や憶測の混じった話を事実であるかのようにツイートしてはならない。真相の分からない事柄については、判明している範囲の確実な事実をシェアするのにとどめるべきであり、ましてや安易な非難、嘲笑などを発するべきではない。不確実な事実に基づいた情報拡散が、どれほど深く人を傷つけ、社会を混乱させているかは本書の第一章で見てきた通りである。

繰り返すが、今の時代、市民は情報の受け手であるだけでなく、一人一人が社会に何らかの影響を与える情報の送り手でもある。したがって、プロのジャーナリストだけでなく、一般の市民にも「正確な事実をつかむための作法」が要求されているのである。

あとがき

新聞記者と民間シンクタンク研究員を経て大学で教えることになった私は、二〇一九年四月に大学で新たにゼミを開講するにあたり、「ジャーナリズムの実践」をテーマに掲げた。メディアやジャーナリズムを研究対象にするのではなく、学生が自ら取材テーマを見つけ、取材を体験するためのゼミである。一期生一二人が集まった。

大学の文系学部のゼミは、文献講読と教室での議論を中心に授業が組み立てられることが少なくない。だが、白戸ゼミの学生たちは街へ出て人に会い、話を聞くことに注力してきた。私は取材の方向性、手法、議論の組み立て方などについて適宜助言を与えるが、取材には関与しない。

「大学周辺で突如、大学生の乗った自転車の通行だけが特定の時間帯に規制されるようになったのはなぜか」

「ウチの大学には以前から国際関係学部が存在したにもかかわらず、グローバル教養学部などという似たような学部を最近になって新たに開設したのはなぜか」

そんな取材テーマを自発的に設定した学生たちは、大学周辺の住民宅にアポなしで話を聞きに行ったり、大学の偉い先生方に不躾な質問をぶつけたりして取材してきた。

そして最後に学生たちは、大阪を拠点に携帯電話を販売しているある企業のビジネスモデルを「怪しい」とにらみ、この企業の実態解明に取り組んだ。その企業は若い経営者たちの下で、多数の大学生を「インターン」名目で働かせていた。

学生たちは手分けして弁護士事務所やその企業で働く学生たちなどに直接取材し、本職の記者のように深夜に取材対象者の自宅前に張り込んで帰りを待ったこともあった。取材対象企業の関係者から、匿名を条件に組織の実態を聞き出す取材も何度も行った。

取材の顚末は、ゼミ生代表の木山日菜子さん（二〇二一年三月卒業）によって記事化され、新潮社の国際情報ウェブサイト『フォーサイト』に「学生リアル取材ドキュメント「怪しいスマホ販売ビジネスを追え！」」として二〇二〇年一二月三〇日に掲載された。

こうした「ジャーナリズムの実践」に取り組んだのは、ゼミの学生たちを新聞社やテレビ局に就職させるためではなかった。

長年、新聞社とシンクタンクという情報が集まる組織で働いてきて痛感したのは、世の中には実にガセネタが多いということだ。ひょっとすると社会に流通している真実の量よりも、嘘(うそ)やデタラメの流通量の方が多いのではないか、という実感さえある。私自身も時にガセネタに振り回され、しばしば踊らされてきた。

SNSによる情報発信が当たり前になった現在、スマートフォンの画面を眺めていて悲しくなるのは、根拠や出所の判然としない情報を「事実」と思い込み、誤情報に依拠して自らの正義を確信し、他人を攻撃する人の多さである。SNSが普及した現在、流通するガセネタの総量は天文学的な数に達し、「ホント」と「ウソ」の識別はますます難しくなっている。

そうした状況の中、これから社会に出ていく学生たちには、事実を追い求めるジャーナリズムの実践を通じて失敗を繰り返し、正確な事実を突き止めることがどれほど困難であるかを体感して欲しい。そして、自らがSNS等で何かを発信する場合には、事実の確定に徹底して慎重を期す社会人になって欲しい――。「ジャーナリズムの実践」と銘打ったゼミの活動には、そんな願いを込めた。

ゼミ生たちは、事実を裏付ける証拠をつかもうと悪戦苦闘した。私は「その会社を批判したいのならば、入手した様々な情報が事実である証拠をつかまなければならない」とウラ取りを指示し、その手法も教示するが、案の定うまくいかない。ゼミ生代表の木山さんは「取材を始めた時、私は正直なところ、学生主体の企業ならば、すぐにボロを出すだろうと考えていた。しかし、取材が進むにつれて、そうではないことを思い知った」と振り返る。

ゼミ生たちが力不足だったのではなく、誰がやっても簡単にはいかないのが事実のウラ取りなのである。ウソやデタラメが真実の名の下に氾濫（はんらん）する今日、正確な事実をつかむことの難しさと大切さを、若い人々が体感する機会が増えて欲しいと思う。本書がその一助になれば嬉（うれ）しい。

二〇二一年一月一七日　白戸圭一

ちくまプリマー新書

047 おしえて！ ニュースの疑問点　池上彰
ニュースに思う「なぜ？」「どうして？」に答えます。今起きていることにどんな意味があるかを知り、自分で考えることが大事。大人も子供もナットク！の基礎講座。

143 国際貢献のウソ　伊勢﨑賢治
国際NGO・国連・政府を30年渡り歩いて痛感した「国際貢献」の美名のもとのウソやデタラメとは。思い込みを解いて現実を知り、国際情勢を判断する力をつけよう。

229 揺らぐ世界 ――〈中学生からの大学講義〉4　立花隆／岡真理／橋爪大三郎／森達也
紛争、格差、環境問題……。世界はいまも多くの問題を抱えて揺らぐ。これらを理解するための視点は、どうすれば身につくのか。多彩な先生たちが示すヒント。

239 地図で読む「国際関係」入門　眞淳平
近年大きな転換期を迎えていると言われる国際関係。その歴史的背景や今後のテーマについて、地図をはじめ豊富な資料を使い読み解く。国際情勢が2時間でわかる。

267 裁判所ってどんなところ？ ――司法の仕組みがわかる本　森炎
司法権の独立、三審制、三権分立など司法制度の仕組みはどうなってる？ 公平・公正・正義って？ 事件を裁く裁判官の素顔って？ ……裁判所って、こんなところ。

ちくまプリマー新書

310
国境なき助産師が行く
——難民救助の活動から見えてきたこと
小島毬奈
貧困、病気、教育の不足、女性の地位の低さ、レイプなど、難民の現実は厳しい！　でも、また救助に行きたくなる不思議な魅力がある。日本と世界の見方が変わる。

359
社会を知るためには
筒井淳也
なぜ先行きが見えないのか？　複雑に絡み合う社会を理解するのは難しいため、様々なリスクをうけいれざるを得ない。その社会の特徴に向き合うための最初の一冊。

363
他者を感じる社会学
——差別から考える
好井裕明
他者を理解しつながろうとする中で、生じる摩擦熱のようなものが「差別」の正体だ。「いけない」と断じて終えるのでなく、その内実をつぶさに見つめてみよう。

263
新聞力
——できる人はこう読んでいる
齋藤孝
記事を切り取り、書きこみ、まとめる。身体ごとで読めば社会を生き抜く力、新聞力がついてくる。効果的なメソッドを通して、グローバル時代の教養を身につけよう。

278
大人を黙らせるインターネットの歩き方
小木曽健
「ネットは危険！」「スマホなんて勉強の邪魔」？　そんなお説教はもうたくさん！　大人も知らない無敵の「ネットの歩き方」——親と先生にはバレずに読もう。

ちくまプリマー新書

280
高校図書館デイズ
――生徒と司書の本をめぐる語らい
成田康子
北海道・札幌南高校の図書館。そこを訪れる生徒たちが、本を介し司書の先生に問わず語りする。生徒の人数分だけある、それぞれの青春と本とのかけがえのない話。

320
その情報はどこから？
――ネット時代の情報選別力
猪谷千香
日々、空気のように周りを囲んでいる情報群。その中から私達は何をどのように選べばいいのか。情報の海で溺れないために大切なことを教える一冊。

339
若い人のための10冊の本
小林康夫
本とは、世界の秘密へと通じる扉の鍵を、私たちに与えてくれるもの。いったいどんな読書をすれば、そこに辿りつけるのか？　あなただけにこっそり教えます。

102
独学という道もある
柳川範之
高校へは行かずに独学で大学へ進む道もある。通信大学から学者になる方法もある。著者自身の体験をもとに、自分のペースで学び、生きていくための勇気をくれる書。

126
就活のまえに
――良い仕事、良い職場とは？
中沢孝夫
世の中には無数の仕事と職場がある。その中から、何を選ぶのか。就職情報誌や企業のホームページに惑わされず、働くことの意味を考える、就活一歩前の道案内。

chikuma primer shinsho

ちくまプリマー新書371

はじめてのニュース・リテラシー

二〇二一年三月十日　初版第一刷発行
二〇二四年四月十日　初版第三刷発行

著者　白戸圭一（しらと・けいいち）
装幀　クラフト・エヴィング商會
発行者　喜入冬子
発行所　株式会社筑摩書房
東京都台東区蔵前二‐五‐三　〒一一一‐八七五五
電話番号　〇三‐五六八七‐二六〇一（代表）
印刷・製本　中央精版印刷株式会社

ISBN978-4-480-68398-4 C0200 Printed in Japan